BREVE HISTORIA DE BARCELONA

ENRIC CORELLA

BREVE HISTORIA DE BARCELONA

arcopress
2007

Editorial Arcopress
Directora editorial: Concepción Calleja
C/ Llull 356 - 360 / Torre B 15º - 6
08019 BARCELONA
Teléf. 935 39 19 91
www.arcopress.com
pedidos@arcopress.com - info@arcopress.com

Diseño y preimpresión: Talenbook
Imprime: Taller de libros (www.tallerdelibros.com)

I.S.B.N. 978-84-96632-20-2
Depósito Legal: CO-266-07
Hecho e impreso en España - *Made and printed in Spain*

En una época de engaño universal, decir la verdad es un acto revolucionario.

George Orwell

Tornarem a lluitar, tornarem a sofrir, tornarem a vèncer.

Lluís Companys i Jover
(M.H. President de la Generalitat)

Este libro va dedicado a todos los jóvenes que, luchando por una causa noble, han dejado su vida en Barcelona, a los que no pudieron disfrutar de la libertad y sin amedrentarse continuaron adelante para recuperar sus sueños. Pero también va dedicado a los que siguen trabajando por causas nobles, esta vez azotados por la indiferencia.

Enric Corella

Prólogo

Barcelona es muy distinta según quien cuente su historia, múltiples interpretaciones aunque una sola realidad. Enric Corella ha conseguido el más difícil todavía, hacer un exhaustivo aunque breve repaso a la historia de Barcelona, sin olvidar detalles sociales que la humanizan. Su historia de Barcelona nos recuerda porqué es una capital cosmopolita, y no solo por disponer de puerto abierto al Mediterráneo. El repaso a la historia de Barcelona que se nos presenta nos ayuda a entender cómo es en la actualidad. El poso dejado por la Barcelona romana, visigoda, franca, castellana, universal, anarquista, gris y olímpica ha hecho de esta ciudad un lugar cosmopolita. En este curioso libro de historia se reviven los hechos con fotografías de los monumentos y localizaciones actuales que fueron clave en el pasado. Descubriremos que el Fórum ya existía en la época romana justo donde se encuentra hoy la Plaça de Sant Jaume o que Almanzor arrasó la ciudad de tal forma que todavía hoy se encuentran inmensas capas de cenizas en las excavaciones arqueológicas. Este libro les llevará a la Barcelona enferma que por la peste negra vio morir a la mitad de sus ciudadanos, y a la luchadora que el 11 de septiembre de 1714 amanecía bajo una fuerte lluvia para ser derrotada. Hay muchas Barcelonas, pero todas están en este libro. La Barcelona de las prohibiciones, cuando en 1778 no se permitió comerciar con los territorios del Caribe y hasta 1975 se censuró utilizar el idioma propio de la ciudad, el catalán. La Barcelona injusta que ejecutó a cuatro anarquistas por poner la dramática bomba en el Teatro del Liceo y ninguno de ellos era autor del atentado. Del Palacio e Pedralbes al Campo de la Bota y de las murallas de la ciudad a la gamba de Mariscal, así es esta *Breve Historia de Barcelona*. En los siglos que ha vivido Barcelona desde el año 11000 a.C. hasta nuestros días el Olimpo de los Dioses de la ciudad está a rebosar: el Obispo Paciano en primer lugar, que no tiene calle alguna a su nombre y toda su vida apoyó al pueblo más necesitado de la ciudad. Rafael Casanova, Ildefons Cerda, Roger de Flor o incluso Pascual Maragall y un largo etcétera de personas tan imprescindibles como desconocidas para contar como es hoy la gran Barcelona, a la que no soportamos en el día a día pero es imposible vivir sin ella.

Albert Castillon

Introducción

La Barcelona que alborotó Loquillo, la Barcelona de la «llibertat, amnistía i estatut d'autonomía», la Barcelona «més que mai», la Barcelona de los gettos de Porcioles, la Barcelona que sofocó el alzamiento en 1936, la misma que se organizó en milicias y la misma que cayó en 1939 siendo testigo de la entrada de las tropas nacionales. La Barcelona que vibró proclamando la república, la que lloró cuando Tarradelles volvió del exilio con su «Ja sóc aquí» la que se defendió y conspiro ante la ocupación Napoleonica, la que sufrió el veto de Castilla que le prohibía comerciar con el nuevo mundo, la que Jaume I hizo grande, la Barcelona que conquistó Ludóvico, en la que vivió Guifré «el pelós» y en la que murió Ataulfo, la que fue asaltada y ocupada por vándalos y mahometanos. La Barcino que inauguraron los romanos, la que fue testigo de los comienzos del cristianismo. La Barcelona de ahora que hemos levantado todos, la que han construido los Andaluces, Gallegos, Madrileños, Valencianos, Catalanes... Ésta es la Barcelona de todos y para todos, la que se ha forjado con el sudor de los obreros y con la sangre de los guerreros.

P
30

BARCELONA ES LEGENDARIA

Los primeros indicios de vida humana en el territorio de Barcelona datan del 11000 a.C. Se trata de herramientas de trabajo atribuidas al hombre de finales del Paleolítico-Epipaleolítico, localizadas en el Morrot; acantilado donde finaliza la montaña de Montjuïc. Los utensilios se encuentran en lo que en su día fue un taller de industria lítica, bastante posterior a las herramientas halladas. Posiblemente del Neolítico antiguo. Por lo tanto queda constancia de que las hordas nómadas y sedentarias de la Edad de Bronce frecuentaban ya aquellas tierras. Desde antes del s. III a.C. numerosos poblados de layetanos se hallaban en la explanada que ahora ocupa Barcelona. El más importante, denominado Laie, se encontraba también en la montaña de Montjuïc. Sin embargo, la historia de la ciudad no empezaría hasta más tarde. Los inicios de la urbe son imprecisos y ante cualquier confusión, la leyenda y la realidad caminan de la mano. Por ello, varias son las historias que han tratado de interpretar la fundación de Barcelona. Aquí vamos a resumir dos de ellas, las que al parecer han tenido más importancia durante los dos mil años de antigüedad de la urbe. Una de las dos

hipótesis con más peso legendario sería la fundación de la ciudad por parte del héroe mitológico Hércules (o Heracles), hijo de Zeus. Según la historia, mientras Hércules realizaba los doce trabajos, en concreto, entre el de La cierva de Cerínia y el de los establos de Augías, Hércules viajó en una expedición con nueve naves por el mediterráneo. Al parecer, debido a una tormenta, una de las naves desapareció, y Hércules decidido a averiguar qué había sucedido con dicha embarcación pondría rumbo para la costa de Levante, navegando día y noche hasta encontrar los restos del naufragio de la Barca-Nona (Nombre de la embarcación perdida) al pie de Montjuich. Los tripulantes, que se encontraban en tierra en ese momento, no quisieron volver a la expedición y ayudados por Hermes y Hércules construyeron lo que sería Barcanona, en honor al nombre de la embarcación. Este mito cobraría gran parte de su importancia después del relato de «L'Atlantida» por Jacint Verdaguer. La segunda leyenda, probablemente la más creíble y extendida de todas, procede de África y cuenta la historia del momento en que el general cartaginés Amilcar Barca fundaba la ciudad en el s. III a.C. con el nombre de Barcanova. Barca en honor a su propio nombre y Nova, de nueva, al estilo de Cartagonova.

Por todos los conflictos sucedidos entre romanos y cartagineses, que se harían más frecuentes en un futuro con las guerras púnicas, Amilcar Barca hizo jurar a su hijo Aníbal Barca y a su yerno

Desigual®

Asdrúbal odio eterno a la civilización romana. Antes de morir en el 229 a.C. dejó al mando de las tropas a su yerno Asdrúbal, pero poco después éste moriría, en el 221 a.C. dejando al mando del ejército a Aníbal, quien marcharía sobre Roma en el 218 a.C., mientras su hermano, también llamado Asdrúbal, permanecía a cargo de las tropas en la Hispania.

No obstante y pese a las numerosas leyendas que se podrían encontrar, los documentos históricos de Barcelona empiezan a encontrarse a partir del 218 a.C., cuando Publio Cornelio Escipión «El Africano» desembarcó en el litoral catalán, concretamente en Ampurias, con el fin de encontrarse a la retaguardia de las tropas de Aníbal, que marchaban sobre Roma. Fue en ese momento cuando se ocuparon los territorios de la ciudad. Durante unos dos siglos la historia de Barcelona es casi un misterio. Después de la victoria de los romanos sobre los cartagineses en el 202 a.C., podría haber servido de asentamiento militar para la lucha contra las tribus iberas, pero la colonia marítima de Roma no se fundó oficialmente hasta el siglo I a.C., entre los años 10 y 15 a.C., el cual se nombró «Colonia Faventia Julia Augusta Paterna Barcino», es decir:

COLONIA: Se le decía así a los asentamientos militares construidos para los veteranos de guerra y sus familias. En este caso seguramente la mayor parte procedieran de los continuos enfrentamientos con los iberos.

IULIA: En honor a la hija de Augusto, Julia.

AUGUSTA: La colonia había sido fundada mientras Cayo Julio Cesar Octaviano Augusto estaba al mando del Imperio Romano. Augusto fue el primer emperador de Roma, coincidiendo con la fundación de Barcino, por ello el honor de poner su nombre.

FAVENTIA: En favor de los dioses.

PATERNO: Fundada por los auténticos Romanos, denominados los padres del imperio romano.

BARCINO: El nombre heredado del anterior poblado hallado en los alrededores de Montjuich.

BARCELONA ES ROMANA

Como explicábamos anteriormente Barcino fue ocupada por los romanos simplemente con el fin de instalar un campamento militar en la zona del cerro de Montjuich, al pie de la montaña y junto a un poblado de Layetanos, para facilitar así el comercio y el transporte de armamento desde el puerto natural que allí existía. Durante casi dos siglos, Roma, estuvo en guerra con los indígenas de la península; debido a la admirable resistencia de los íberos. Prueba de ello son personajes míticos como Viriato o la encarnizada defensa de Numancia, a la que sólo pudo poner fin un experimentado Publio Cornelio Escipión Emiliano, llamado el «Africano menor» o el «Numantino», el mismo que puso fin al asedio de Cartago en la tercera guerra Púnica e hijo adoptivo de Publio Cornelio Escipión «El Africano», vencedor de la segunda guerra púnica. Por esta razón la urbe no se fundó como tal hasta unos doscientos años después de la llegada de Escipión «El Africano» en el 218 a.C., sería en tiempos de Cayo Julio Cesar Octaviano Augusto, ya acabadas las guerras púnicas con los cartagineses y aparentemente controlados los conflictos con los Celtiberos, cuando se oficializó la colonia romana. Pero una colonia no era un campamento militar. Pronto se hizo evidente

que si había alguna intención de mantener una colonia como ésta agregada al gran imperio romano, se debería buscar un emplazamiento más adecuado para poder expandirse. Para ello se trasladarían al llano, concretamente en el Mont Taber. Aquella zona, al estar ligeramente elevada permitiría una mayor vigilancia de las zonas colindantes y facilitaría la comunicación de la colonia con el norte y el sur de la península ibérica mediante la conocida Vía Augusta, que a su paso por Barcino seguía su camino desde los Pirineos hasta Cartagonova. Todavía hoy podríamos seguir el trazado de la antigua vía romana si cogiésemos las actuales N-2 y N-340 que aún utilizan el mismo recorrido. A parte de estos motivos, tuvo mucha importancia a la hora de escoger localización, el poder construir algún acueducto que llegara hasta el río Besós y Collserola sin demasiado desnivel. Ese impulso era casi tan trascendental como la cercanía al puerto natural que había probablemente entre el Monts Taber y Monjuich, porque hemos de saber que en tiempos de los romanos el agua debía llegar aproximadamente hasta la zona de la catedral, un poco más abajo que la plaza Sant Jaume. Precisamente en esta plaza se hallaba el Forum, centro neurálgico de la antigua Barcino y todavía hoy de nuestra Barcelona. La ciudad fue amurallada y dividida en dos vías principales, el *Cardo* y el *Decumanus*, que se encontraban en las calles llamadas ahora «Llibretería, Call, Bisbe y de la Ciutat». En el punto donde confluían dichas arterias se hallaba el Forum, zona donde estaban situadas las termas, lugar

muy importante para la reunión de los personajes clave de Barcino, y el Templo a Augusto, del que se conservan cuatro columnas que todavía hoy podemos ver en el nº10 de la calle Paradís. El urbanista que se encargó de la construcción de las primeras murallas, de las sesenta y cuatro torres que la defendían y del forum sería Cayo Celio, descendiente Celta.

Así, Barcino pasó de ser una pequeña ciudad de 10 hectáreas a ser una fortaleza inexpugnable que atraía a una gran cantidad de ciudadanos romanos. Por otro lado, Tarraco y Ampurias eran entonces las ciudades más importantes con 60 y 100 hectáreas respectivamente, pero la falta de conflictos les hizo perder peso como bases militares. No obstante en Ampurias trataron de mantener a los habitantes, sin embargo se encontrarían ante un gran problema que Barcelona no tenía: la falta de agua y la dificultad para construir acueductos. Sin embargo, el problema en Tarraco sería bien distinto, esta ciudad había sido construida básicamente como una colonia de guerra, pero poco a poco se iría civilizando. Tarraco creció tanto que llegó a ser unas seis veces más grande que Barcino, pero la falta de campañas militares hizo que se desguarneciera considerablemente la zona, hecho que provocaría cierto pánico entre sus habitantes, que no podrían evitar sentir algo de desasosiego viendo a una ciudad con un perímetro tan extenso sin apenas defensas. Aquel hecho fue llevando, poco a poco, a Tarraco al olvido y entregando algo de su importancia a Barcino, hasta que ésta sufriera a mediados del s. III d.C. el brutal asalto llevado a cabo por los Bárbaros, Alamanes y Francos, más conocidos como los Germánicos.

Aquel asalto por parte de los bárbaros llevaría a Barcino a realizar una pequeña reconstrucción provisional de sus murallas, aunque aproximadamente dos siglos más tarde se ampliarían de forma espectacular añadiendo varios metros de ancho y alguna torre más. Para llevar a cabo semejante

obra se necesitaría aprovechar materiales de la ciudad, como estatuas, capiteles y demás. Esta ampliación se realizaría entre finales del s. IV y principios del V, en la época del bajo imperio romano.

En síntesis, podríamos decir que el periodo romano de Barcelona sería el que más marcaría la tendencia de la ciudad en un futuro. Incluso en nuestros días, la ciudad, mantiene su centro político en el mismo lugar donde lo situaban hace dos mil años. También las vías de acceso a la ciudad son prácticamente las mismas y la cultura proviene claramente de los antepasados romanos, aunque sin duda se avecinaba un momento clave para Barcino y por qué no decirlo... para todo el mundo, algo que cambiaría nuestro destino y condicionaría nuestra historia hasta la actualidad. Estamos hablando del Hijo del señor, Jesús de Nazaret. Hacía ya 313 años que el Mesías había sido humillado, torturado, insultado y finalmente crucificado, pero no sería, sin embargo, hasta este momento en que los romanos renegarían oficialmente de sus antiguos dioses y se rendirían a la Cristiandad. Jesús fue asesinado por los propios legionarios romanos que, debido a la petición popular, acabaron convenciendo a Pilatos pese a su primera negativa a la ejecución del Mesías. Pero ahora la venganza estaba servida, tres siglos después de su muerte, Jesús de Nazaret vencería a Júpiter. Este hecho afectaría directamente a Barcino que poco tiempo después, sobre el año 360 tendría su primer enviado cristiano, sería el obispo Paciano que durante toda su vida apoyaría al pueblo y renegaría de los ricos. Sorprendentemente el cristianismo no afectó solamente al pueblo romano sino que también tuvo una fuerte repercusión entre los germánicos, concretamente sobre los visigodos, que se convirtieron totalmente al cristianismo. Estos mismos fueron quienes a principios del s. V dominaron Barcino ante la inminente caída del imperio romano de Occidente, también fueron los propios visigodos quienes secuestraron, de la mismísima Roma, a la hija del emperador romano Teodosio el Grande, la joven y hermosa Gala Placidia con quien el jefe de los visigodos, Ataulfo, sucesor de Alarico, se casaría pocos años más tarde en Narbona.

BARCELONA ES VISIGODA

Ataulfo aceptaba las costumbres de los romanos, este hecho le facilitó su estancia en Barcino, donde se trasladaría con su ya esposa Gala Placidia. En esta misma ciudad Ataulfo instauraría durante un breve espacio de tiempo la capital del reino visigodo y tendría su único hijo, Teodosio, en honor al padre de Gala Placidia. Desgraciadamente pronto acabaría el sueño de Ataulfo, quien después de ver morir a su hijo asesinado probaría el mismo veneno que sigilosamente habría introducido en el cuerpo de su heredero alguno de sus hombres de confianza, probablemente alguien contrario a su permisibilidad con las costumbres romanas, o mejor dicho, a la romanización del imperio visigodo.

Muerto Ataulfo y con los visigodos y ostrogodos enfrentados, la capital del reino se trasladaría de Barsilona (Así llamaban a Barcino los visigodos) a Tolosa, que sería corte real visigoda hasta que Teudis la volviera a trasladar a Barcelona en el año 531. Sin embargo, pocos años después, los visigodos se expandirían por la Península Ibérica y volverían a trasladar la corte, esta vez a Toletum (Toledo) relegando así a Barcelona a un segundo plano político.

Todos los datos parecen indicar que lo que más prosperaría durante los trescientos años de dominio visigótico en Barcino sería la iglesia católica, que supo crecer lentamente y mantener como idioma el que los romanos utilizaron, el latín. No obstante, la lengua latina empezó a sufrir ciertas modificaciones debido a la presencia del germánico.

En cuanto a las variaciones en el urbanismo de la ciudad podemos afirmar que no hubo ninguna, salvo la construcción de una basílica paleocristiana, ubicada aproximadamente en la zona del antiguo foro romano, y las necesarias remodelaciones de algunos domus (Casas romanas). Visto esto, es probable que la población en Barcelona no hubiese aumentado demasiado, por no decir en absoluto.

En el aspecto más político, la ciudad visigoda siempre mantendría una cierta independencia debido a la lejanía de la capital. Diversos sucesos llevarían a los territorios catalanes a desafiar el poder de Toletum enfrentándose directamente al máximo poder visigodo con el fin de lograr separarse del imperio. El ejemplo más claro sería el alzamiento de Paulo en Barcino. Estos enfrentamientos darían su fruto poco antes del año 716, cuando Barsinona lograría distanciarse definitivamente del poder central de Toletum.

Cierta mañana del año 717 la media luna sarracena caería sobre Barsinona. Sin apenas ofrecer resistencia, la que fue en su día capital visigoda pasaba a ser del dominio musulmán. La ciudad repetía la historia sucedida apenas un año antes en las tierras de Tarragona, donde las fuerzas mahometanas lideradas por Tarik descargarían su brutal ira destrozando prácticamente todo lo que había en pie y matando a gran parte de sus habitantes. Por ello, es probable que las autoridades de Barsinona al enterarse del asalto a Tarraco, preparasen una tregua con las fuerzas musulmanas en la que

acordarían la entrega sin resistencia de Barcelona. Debido a esto, los sarracenos se encontraron con pocos habitantes en la ciudad ya que la inmensa mayoría había huido al saber que los estandartes de la media luna se aproximaban.

Barchinona, como ahora se llamaba la ciudad, pasó a formar parte de Califato de Damasco. Hay que decir que la presencia musulmana en Barcelona tuvo poca repercusión ya que se conservó la forma de vida romano-goda y prácticamente no dejaron rastros de su cultura en su paso por la urbe. La única muestra que podríamos tener de la estancia sarracena sería la conversión de los lugares religiosos de la ciudad, que pasarían de adorar a Jesús a rezar a la Meca. Todo esto no es de extrañar debido a que la ocupación musulmana apenas duró ochenta años.

Barchinona, como tal, carecía de importancia para los mahometanos que con su dominio tan sólo pretendían tomar el control de la Vía Augusta para tener un acceso rápido a las Galias, que sería donde ahora continuarían su expansión ya conquistada casi por completo la Península Ibérica. Sin embargo, la expansión sarracena no duraría demasiado tiempo más, puesto que en el año 732 los francos vencerían en Poitiers evitando un mayor crecimiento del imperio musulmán. Desde este instante las tropas Francas dirigidas por el propio Carlomagno y su hijo Ludovico iniciaron un avance imparable hacia hispánia.

Ahora empezaría en la ciudad un momento clave, en el 796 Sadun Al-Ruayni llegaría al gobierno de Barchinona. Siempre enfrentado con el poder de Córdova, Sadun decidió pedir ayuda a Carlomagno, quien se la ofreció a cambio de

PALAU DE LA GENERALITAT

que le fuese entregada la ciudad a los Francos, a lo que Al-Ruayni se negó rotundamente. Fue por ello que Carlomagno ordenó a su hijo Ludovico formar una base militar en Tolosa desde donde iniciaría la ofensiva a Barcelona. Podemos destacar también que Ludovico utilizó el conocido Castillo de Cardona como punto más cercano para la marcha hacia la ciudad.

Sería en el año 801 cuando Luís el piadoso (Ludovico) liberaría Barchinona del domino musulmán y trataría de expandirse más allá de Cataluña pero, por primera vez, el valle del Ebro supondría un punto clave donde resistirían las fuerzas sarracenas. Más tarde veremos como éste no sería el único momento en que el Ebro resultaría determinante en una guerra.

Con Barcelona liberada, Ludovico regresaría a Tolosa para continuar su campaña militar, dejando al frente de la ciudad catalana a Berá, Conde de Rosellón y de familia goda. Berá sería el primer Conde de Barcelona, dando su inicio a una de las etapas más importantes de Barcelona, la marca hispánica o como todavía la conocemos hoy, la Ciudad Condal.

Barcelona es franca

Con la llegada del Conde Berá a Barcelona, daría inicio una nueva etapa, en la que empezará a ser extremadamente complejo distanciar la historia de la ciudad y la de la futura Cataluña.

Berá, primo de Carlomagno, fue nombrado conde de Barcelona por Luís el Piadoso con la imposición de mantener a raya a las fuerzas musulmanas. Pero la forma de actuar del primer conde de Barcelona llegó a ser incluso polémica por sus intentos de lograr la paz con los sarracenos. En el año 812 Carlomagno firmó una tregua por tres años con los musulmanes aunque sólo dos años después moriría dejando a su hijo Luís el Piadoso (Ludovico) al mando del imperio Franco.

Luís el Piadoso no era tan partidario de la paz con los musulmanes, quizás por ello Barcelona fue atacada en el 815 en cuanto finalizó el periodo de tregua. Berá defendió perfectamente a Barcelona y trató de buscar otro fin a las hostilidades con los sarracenos. La tregua se aceptó, pero poco más tarde Berá sería acusado de infiel (seguramente por apoyar la paz con los

Parte trasera de la Catedral de Barcelona (1459)

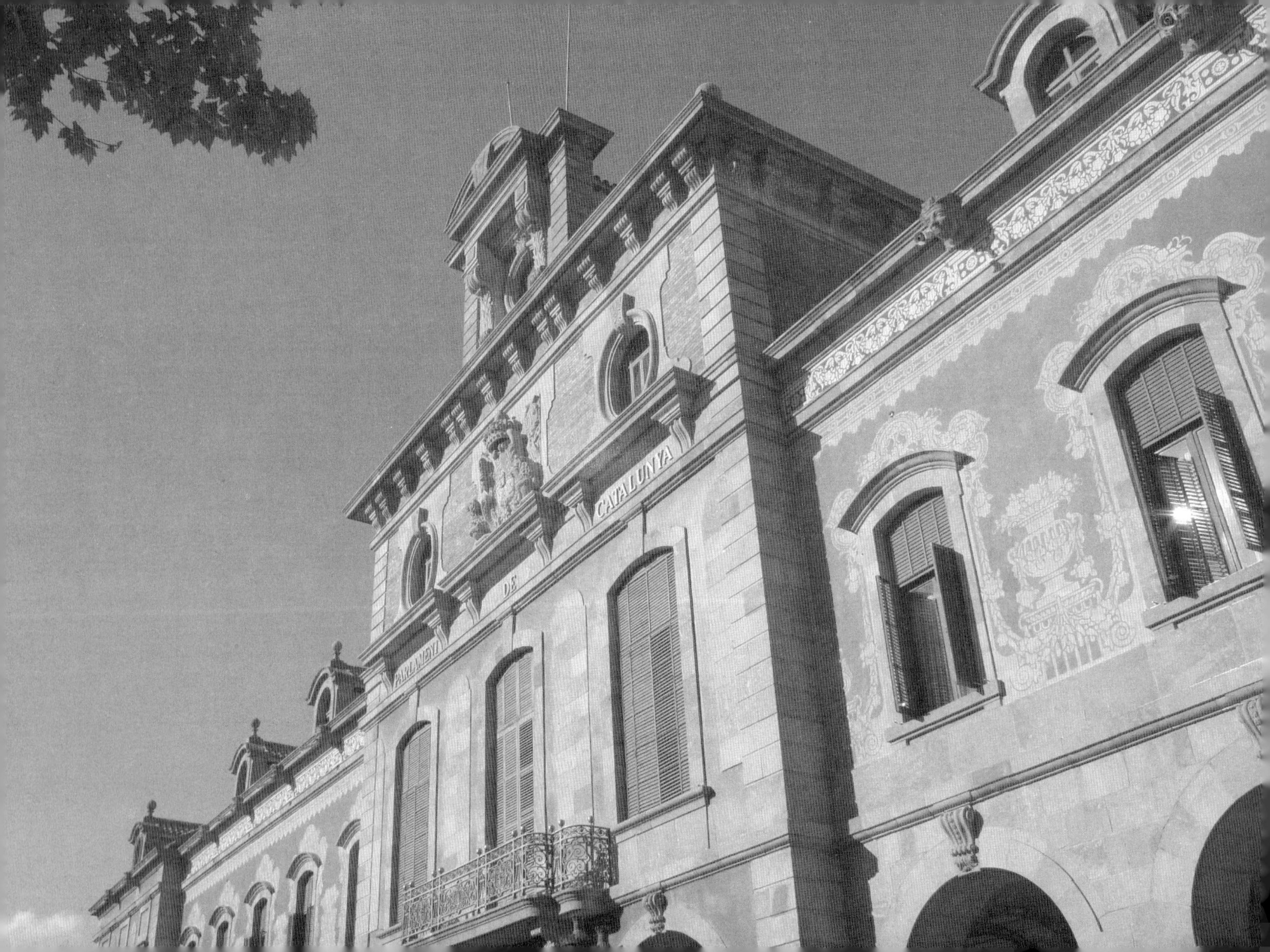
PARLAMENT
DE
CATALUNYA

musulmanes) por Sanila delante del mismísimo emperador Luís el Piadoso. Berá desafió en un combate a caballo a quien le acusó y acabaría derrotado, afortunadamente el emperador le perdonaría la vida y le permitiría exiliarse con sus riquezas en Rouen.

Desde ese momento los Condes de Barcelona serían nombrados por el rey franco. En este primer caso sería Ludovico quien lo escogiese y seguiría así hasta que Carlos, el calvo, nombrase a Guifré «el Pelós», que traducido al castellano significaría «el Velloso». Por otro lado Guifré I destacó por su gran fidelidad a los francos y debido a ello se formaría una leyenda en la que se atribuiría la creación de la bandera catalana. El relato dice que al volver malherido de una batalla contra los musulmanes y, ya reposando en su cama esperando la muerte, el rey franco mojó su mano con la sangre del Conde de Barcelona y con los cuatro dedos marcó el escudo dorado de Guifré, formando así la actual bandera catalana, con las cuatro barras rojas en el fondo amarillo. Sin embargo esto no es más que una leyenda como tantas otras. Por el contrario, el origen de la bandera de los cuatro palos se data aproximadamente sobre el siglo XII, el estandarte que lucía en esos momentos por el Condado de Barcelona era el de la Cruz de San Jordi, una cruz roja sobre fondo blanco. Un símbolo bien conocido en las cruzas y que utilizarían algunos condes de Barcelona hasta la creación de la actual.

También hay que destacar la figura de Guifré I porque desde su muerte el condado de Barcelona se heredaría generación tras generación. Durante los años precedentes a Guifré los ataques musulmanes a Barcelona serían constantes, pero lo siguieron siendo también después, cuando en el año 985 el caudillo de Córdova, Almanzor, entró con las tropas sarracenas y devastó Barcelona; fue tal la barbarie que en

excavaciones anuales se pueden hallar capas enteras de ceniza de aquella época. En aquellos años el Conde de Barcelona era Borrell II, el nieto de Guifré «el pelós», quien trataría sin éxito de defender la ciudad.

Cuando los musulmanes volvieron a atacar Barcelona, como venían haciendo desde hacía más de dos siglos, la Ciudad Condal continuaba su ansiada búsqueda hacia la independencia del poder franco, algo que conseguiría definitivamente Borrell II poco después de que las fuerzas sarracenas abandonaran Barcelona una vez concluida la devastación musulmana. La ciudad había actuado casi siempre como un territorio soberano, pero no fue hasta este momento cuando se convirtió en un estado independiente «de facto», coincidiendo con el fin de la dinastía de Carlomagno y el inicio de la dinastía de los Capetos.

Sería en este instante cuando los otros condados sudpirenaicos empezarían a mantener una alianza permanente con el condado de Barcelona, el último reducto cristiano antes de llegar a la zona sarracena del Al-Andalus. Según los datos históricos la unión de estos condados empezaría a conocerse por el nombre de Cathalonia, Catalania o Cataloigne a principios del S. XII, aunque todavía quedan cosas por explicar antes de llegar a este punto. De momento los territorios catalanes seguían conociéndose como las tierra de los francos y el poder de la dinastía franca seguía, en teoría, ejerciendo la soberanía sobre Barcelona, y en la práctica el condado era un estado independiente.

Así, los años que precedían al 1000 habían acabado con la quema de Barcelona por los musulmanes; en esos años, la ciudad acariciaba los 3.000 habitantes gracias a los cuales la urbe volvería a resurgir con nuevas construcciones y reconstrucciones, como la de la Catedral, que había quedado dañada después de la entrada del caudillo Almanzor. Ramón Borrell I, hijo de Borrell II, lideró la conquista de los territorios musulmanes de la actual Lérida y poco después los sarracenos marcharían otra vez a tierras catalanas donde vengarían la osadía del conde de Barcelona. Eran tiempos difíciles para el poder de Córdova, que aunque tenía alrededor de 300.000

habitantes; éstos, permanecían divididos en distintas facciones y mantenían continuos enfrentamientos. Este momento fue aprovechado otra vez por Ramón Borrell I para reconquistar los castillos capturados por los musulmanes en las tierras de Lérida y desde allí marchar sobre Córdova, ciudad que saquearían y donde fallecería en combate el hermano del conde de Barcelona, Ermengol I de Urgel.

De esta manera los años pasarían en Barcelona entre enfrentamientos con los musulmanes y marcados por el cristianismo fanático que entonces existía. Eran los tiempos de las primeras cruzadas, a finales del siglo XI, momento en que volvería a cambiar la historia de la ciudad y a su vez la de toda Cataluña. Paralelamente, Ramiro II de Aragón vería cómo los Navarros y los castellanos asediaban su reino. Debido a esto el Rey entregaría a Ramón Berenguer IV a su hija Peronella y todo su reino de Aragón, añadiendo como única condición para dicha cesión que el Conde de Barcelona mantuviera los derechos y costumbres de los habitantes aragoneses. No obstante, Ramiro II seguiría siendo el rey, mientras el conde de Barcelona sería el Príncipe de Aragón hasta la muerte del monarca en el año 1157.

Aun así, antes de que muriese Ramiro II los caballeros cristianos llegados de todas partes de la Península, e incluso algunos de Francia o Inglaterra, se lanzaron contra Tortosa apoyados por más de cuatrocientas embarcaciones de guerra. La marcha sobre Tortosa tendría al mando a Ramón Berenguer IV. Finalmente la ciudad del Ebro capitularía en 1148 entregando sus tierras al Conde. Otra vez las tierras del valle del Ebro eran testigos de una importante batalla, esta vez la toma de Tortosa. Tanto interés estratégico tenía el valle del Ebro que incluso Alfonso VII de Castilla le pediría parte del valle a Ramiro II de Aragón a cambio de no someter al pueblo aragonés.

Paralelamente a la toma de Tortosa el Conde Ermengol VI de Urgel marchaba por tierras Ilerdenses conquistando a su paso todos los poblados, ciudades y castillos que permanecían en dominio musulmán. Estaba todo preparado para que, una vez finalizada la toma de Tortosa, Ramón Berenguer IV se

dirigiese a Lérida para realizar su segunda gran conquista. Así, ayudado por innumerables Condes catalanes y caballeros aragoneses, el Conde de Barcelona y Príncipe de Aragón marchó sobre Lérida, donde perdieron los sarracenos todo control sobre la ciudad el 24 de octubre del año 1149.

Después de ambas conquistas, quizás hubiese sido normal que se trasladase la Corte o la capital a Tortosa o Lérida por su proximidad a los territorios enemigos, y con el fin de conseguir una mayor expansión por la Península Ibérica. Sin embargo Barcelona ya había alcanzado una gran importancia entre los sectores nobiliarios y había crecido rápidamente rebosando las antiguas murallas romanas, edificando ahora por la parte exterior y convirtiéndose, por ende, en una capital insustituible.

Calle principal del parque de la Ciudadela

M
TMB
TEATRE DEL LICEU
METRO
LICEU

No haría muchos años que Pedro I el Católico había ascendido al poder condal de Barcelona cuando la amenaza Cátara vivía su máximo apogeo, haciendo tambalear los cimientos del cristianismo. Era tal la importancia que estaba cobrando esta nueva «religión» en la Occitania, que el Papa Inocencio III decidió ordenar una cruzada que por primera vez tenía como escenario las tierras Cristianas. El fin de aquella cruzada era el de acabar con los Cátaros, Simón de Monforte lideraría a los cruzados franceses hasta las tierras occitanas, donde tomarían un gran numero de ciudades y pueblos. Así, mientras Simón de Monforte se expandía por el sur de la Galia, el Papa excomulgó a Ramón VI de Tolosa acusado de hereje por simpatizar supuestamente con los Cataros, motivo por el que Ramón VI pediría ayuda a Pedro I, que se la ofrecería negociando con el Papa la devolución de las tierras occitanas, aunque la oposición de Simón de Monforte que se había convertido en Vizconde de todas las tierras conquistadas harían recular a Inocencio III que permitió que siguiera la cruzada.

Simón de Monforte se encontraba ya en la población de Muret. Toda Cataluña, Aragón y Occitania estaban pendientes de las acciones del Conde de Barcelona, que sintiendo la presión que se ejercía sobre él no dudaría en reunir un contingente de mil hombres y dirigirse a Tolosa donde esperaría refuerzos de los demás condes Occitanos. Una vez reunido un buen ejército marcharía sobre Muret, donde le esperaba Simón de Monforte atrincherado con casi un millar de cruzados. Pese a tener ocho mil hombres frente a los mil cristianos,

CANARIAS
CANARIAS

Pedro I perdió la vida en un ataque por sorpresa, por lo que sus hombres, sin nadie a quien seguir y totalmente desmoralizados, emprendieron la retirada. Desde ese día de 1213 el lado norte de los Pirineos pasaría a ser de dominio francés, posiblemente uno de los momentos más amargos de la historia de Barcelona y Cataluña.

Si bien Pedro I estuvo más atraído por el lujo y las mujeres que por el poder, su hijo, Jaime I —más conocido como el Conquistador–, sería bien al contrario. Viviría una infancia amarga separándose de su madre a los tres años, en el mismo momento que murió su padre y siendo enviado a Simón de Monforte para que de mayor contrajera matrimonio con su hija. El Papa Inocencio III volvió a cobrar protagonismo al permitir que el joven fuese entregado a los catalanes para que en un futuro pudiese ser el rey de Cataluña y Aragón. Desde aquel momento Jaime I no desaprovecharía ni una ocasión para demostrar al mundo sus grandes dotes al mando de las tropas catalanas. Los hechos que se narran a continuación resumirán sus logros más importantes.

En 1225 cuando Jaime I tan sólo contaba con diecisiete años de edad, lideraría el asedio a Peñiscola. La operación resultaría desastrosa, pero el joven conde de Barcelona debió aprender mucho, puesto que tan sólo cuatro años después se lanzaría en una hazaña espectacular, la conquista de Mallorca, donde lideraría con éxito un gran contingente naval con el que desembarcaría en Santa Ponça y asediaría la capital. Finalmente los sarracenos perderían todo control sobre la

ADVANCE
H+

isla en 1231. Jaime I al ver que no disponía de efectivos suficientes para intentar la conquista de Menorca, negociaría con las autoridades para que aceptaran la soberanía del conde de Barcelona sin necesidad de entablar combate. La propuesta se acepto y sólo quedaría la invasión de Ibiza, para la cual Jaime I dejaría el mando en manos de Pedro de Portugal y el conde del Rosellón, con la condición de que la conquista se llevase a cabo antes de dos años, sin embargo no sucedería así y tuvo que encargar a Guillermo de Montgrí la toma de Ibiza. Finalmente la pequeña isla capitularía en 1235. Ya era una realidad, las islas Baleares pasaban a estar bajo el control de la corona Catalanoaragonesa.

Por ese motivo, envalentonado por la victoria en las islas Baleares, Jaime I decidiría marchar sobre los países valencianos, acción ésta que gozaría del apoyo de la Iglesia, que calificaría la ofensiva de Cruzada. Se conquistaría la ciudad de Valencia en 1238 y se acabarían de rendir todos los territorios valencianos en 1245. La conquista llegaría hasta Almirra, lugar que se había acordado con el reino de Castilla para finalizar la expansión Catalana, dejando Alicante para los Castellanos. Desgraciadamente Alfonso X de Castilla rompió la tregua y trató de conquistar Xátiva, enfrentando así a castellanos y catalanes. Con este movimiento el territorio valenciano conquistado por Jaime I, igual que el de las Baleares sería considerado un reino aparte dentro de la corona Catalanoaragonesa. Así, el Conde de Barcelona pretendía evitar enfrentamientos con la nobleza aragonesa.

Aunque las hazañas de Jaime I el Conquistador no acabarían aquí. Después de la conquista de Valencia, el conde, ayudaría a los castellanos en la revuelta de Murcia, sofocándola y quedándose parte de los territorios. También conseguiría la soberanía total de los territorios catalanes

Clara
Clara
Clara

que aunque ya actuaban independientemente, pertenecían simbólicamente a los franceses. Motivo por el cual Luís IX renunciaría a sus derechos sobre Cataluña recibidos al ser descendiente de Carlomagno. Probablemente Jaime I ha sido uno de los condes más importantes en la historia de Barcelona y Cataluña.

Barcelona es catalana

Jaime I dejó una buena herencia a sus dos hijos, Pedro y Jaime, pero sólo uno pudo ser el Conde de Barcelona, Pedro II, que heredó los territorios de Cataluña, Aragón y Valencia. A su otro hijo, Jaime II, le dejó Mallorca y los condados de Montpeller, Rosellón y la Cerdaña. Los dos hermanos acordarían subsanar el error que cometió su padre cuando dividió el reino entre los dos. Motivo por el que Jaime II de Mallorca acabó reconociendo que sus condados pertenecían a la corona catalanoaragonesa.

Llegados a este punto nos vemos en la obligación de hacer un pequeño incido y hablar sobre los Almogávares. Empezaremos con una descripción hecha por Bernat Desclot sobre ellos, traducida directamente del original en catalán antiguo, al castellano.

> «Estas gentes que reciben el nombre de Almogávares que no viven más que por las armas, y no están en ciudades ni villas, sino en montañas y bosques, guerrean todos los días con los sarracenos, y entran dentro de las tierras de los sarracenos un día o dos, robando y saqueando, se llevan algunos sarracenos de prisioneros y otras cosas. Y de estos beneficios viven. Sufrieron penurias que muchos otros hombres no hubiesen podido superar, están bien sin comer dos días, si hace falta comen las hierbas de los campos. No llevan más que una túnica o una camisa, de verano o de invierno, muy corta; y en las piernas unos pantalones estrechos de cuero, en los pies unas sandalias de cuero. Llevan una correa en la cintura. Cada uno lleva una buena lanza y dos dardos, una bolsa de cuero en la espalda, donde llevan pan para dos o tres días. Son una gente muy fuerte, pero ligeros para huir. Y son catalanes, y aragoneses.»

BICIPARK

Dicen que confundir la parte con el todo es cosa de imbéciles o de pillos que intentan sacar provecho… y eso precisamente harían los Almogávares (Del arabe al-mogàuar, el que hace incursiones) que empezarían siendo hombres del campo o pastores, y para sacar tajada de las conquistas catalanas en los países valencianos ayudarían a Jaime I en las batallas. En aquellos años estos mercenarios no abundaban, pero en tiempos de Pedro II empezarían a hacerse habituales en las batallas catalanas. El primer lugar donde cobrarían un protagonismo especial sería en la toma de Sicília, donde ayudarían en la conservación de los territorios. De esta manera la extrema violencia de los almogávares se haría célebre en toda Europa,

Museo de Historia de Cataluña (1879)

tanto en Oriente como en Occidente y también en parte de África, motivo por el que serían especialmente temidos, y no era para menos. Estos caballeros cuentan en su haber con un sinfín de hazañas. Lucharon en las cruzadas, sin embargo también fueron atacados por los propios cruzados franceses cuando el Papa excomulgó a la corona catalanoaragonesa y permitió que los estados católicos la conquistasen. Por otro lado los franceses fueron los únicos que se atrevieron a desafiar a Pedro II y entraron en Cataluña poniendo rumbo a Barcelona, pero cerca de Roses, el que fuera almogávar, Roger de Llúria llegó con su flota y cargó contra los franceses. Definitivamente los franceses rechazaron cualquier ofensiva.

¡Sant Jordi! Era el grito ya conocido que utilizaban los catalanes en el furor de la batalla aunque sería ¡Desperta ferro, desperta! el grito de los almogávares que empezaría a hacer famoso Roger de Flor en la defensa de Constantinopla, donde sería enviado para ayudar al emperador contra griegos y turcos. Se dice que los catalanes lucharon en una proporción de uno contra quince —quizás algo exagerado...—, no obstante los mercenarios catalanes y aragoneses saldrían victoriosos y el emperador Andrónico les ofrecería grandes recompensas. Con todo ello los catalanes tuvieron que seguir luchando, por ello creían que su recompensa tenía que ir más allá de unas simples monedas y por ello pidieron tierras para fundar su propio condado. Al ver lo que se avecinaba, Andrónico les invitaría a un festín donde, a traición, mataría a Roger de Flor y a los demás oficiales. Pero la historia no se acabaría aquí, porque tan sólo 3.000 almogávares aterrorizarían la zona, saqueando, matando y violando por todas las poblaciones y ciudades por las que pasaban, finalmente se asentaron en Atenas y Neopatria, concediendo los poderes del ducado a Manfredo de Sicilia. Estos hechos se recordarían por la zona con el nombre de «La venganza catalana». Impresionante pero cierto, aunque todavía nos sorprenderían más las hazañas de estos mercenarios si los imaginásemos luchando sin ninguna protección y relativamente mal armados.

Dejaremos de momento el tema de los almogávares aunque hay que recordar que fueron imprescindibles en la expansión de la corona catalanoaragonesa por el Mediterráneo. Como hemos dicho antes, Pedro II fue excomulgado por el Papa debido a la conquista de Sicilia. Al ser el rey de la corona esto permitía a los estados cristianos hacer una cruzada contra Cataluña, algo que sólo Francia hizo, desgraciadamente con el apoyo de Jaime II de Mallorca que traicionaría así a su hermano. Francia fue derrotada y el hijo de Pedro II, el futuro Conde de Barcelona y rey de la corona catalanoaragonesa, Alfonso II, vengó la traición del hermano de su padre haciendo capitular Mallorca en noviembre de 1285.

Así, la primera mitad del siglo XIV empezó con prosperidad para los catalanes y aragoneses que ya poseían un buen imperio en el Mediterráneo gracias a las conquistas de los almogávares en Grecia o a la toma de Cerdeña por Jaime II, añadidas a las conquistas que ya habían hecho sus antepasados en Sicilia, Valencia, Baleares y la unión con Aragón. Desgraciadamente, la segunda mitad fue un calvario para los habitantes de Barcelona que vieron cómo una extraña enfermedad se expandía por su ciudad. La peste negra acabó con la vida de unos 30.000 habitantes, una cifra trágica por sí misma, pero todavía más cuando sabemos que Barcelona entonces no tenía más de 50.000 habitantes. Barcelona se

el museu martorell de ciències naturals
125 anys
LES GRANS DESCONEGUDES
gemmes de la península ibèrica

hundiría y necesitaría resurgir de nuevo, como ya estaba acostumbrada a hacer después de los innumerables asaltos sarracenos. Por ello la ciudad empezó a recibir pobladores de tierras de las cercanías, normalmente gente del campo o artesanos de pequeños pueblos. Precisamente es en este momento cuando se introducen en Cataluña apellidos tan típicos hoy en día como; Fuster (Carpintero), Ferrer (Herrero), Sabater (Zapatero), Metge (Médico), Teixidor (Tejedor), Colomer (cuida de un palomar), Oller (Ollero)...

Todo imperio tiene su fin, y no era menos el de Cataluña y Aragón, que con la muerte de Martín el Humano y de su hijo Martín el Joven, dejaron sin descendencia a la dinastía empezada por Guifredo el Pelos. Desde el momento en que murió el Conde de Barcelona (1410) se abriría una disputa para nombrar su sucesor. Fernando de Antequera fue el encargado de acabar con el imperio del Mediterráneo y de acercar la corona catalanoaragonesa a Castilla. De esta manera la expansión catalana asistía a sus últimos días. El nuevo rey pertenecía a la dinastía de los Trastámara y no entendía el catalán, algo que le hizo ganar la antipatía de su pueblo desde el principio.

Antes hemos dicho que se acababa el expansionismo catalán, hecho que no sería del todo cierto si contásemos la conquista de Nápoles por Alfonso IV el Magnánimo

en el año 1442. Aunque a efectos prácticos sería una conquista más Castellana que Catalana. También podríamos contar la unión de Isabel I de Castilla con Fernando II de Aragón (1469) como una adquisición catalana, ya que Fernando II tuvo derechos sobre la monarquía Castellana, pero Isabel I no los tendría sobre la corona de Cataluña y Aragón. Sin embargo no existiría ninguna ventaja, Castilla fue quien se empezó a beneficiar de la unión de los dos reinos.

Un día de 1493, teniendo Barcelona como Conde a Fernando II y liderando Castilla los dos Reyes Católicos, atracaría en el puerto de la Ciudad Condal una carabela destrozada, de la que descendió un capitán Genovés llamado Cristòfor Colom (Castellanizado Cristóbal Colón). Los Reyes Católicos lo recibieron en su palacio de Barcelona y el marinero les entregaría allí mismo a seis indígenas para que les dieran bautismo. Parece ser que a Fernando II le debió hacer gracia uno de ellos y decidió quedárselo en su residencia, donde ordenó a su mayordomo que le influyera la fe cristiana. Y así lo quiso Fernando II para todos, no sólo para este indígena en concreto. Quería expandir tanto las convicciones cristianas que mandó a Colón otra vez a las islas que había descubierto para cristianizarlas. Para ello, el navegante contó con la ayuda de varios religiosos, entre ellos Fray Boyl. De esta forma Colón partiría de Cádiz, a lo que él creía que eran las Indias, el mismo año de su regreso.

Tras la muerte de los Reyes Católicos les sucedería tanto en el trono como en el condado de Barcelona, la que sería la primera condesa de la ciudad, Juana I, más conocida como Juana la Loca. Al contraer ésta matrimonio con Felipe de Austria la dinastía de los Trastámara estaba condenada a desaparecer. El hijo de Juana y Felipe sería el conde de Barcelona Carlos I el emperador, en unos años de decadencia tanto en Cataluña como en Barcelona, debido a que el comercio en el Mediterráneo empezaba a perder peso. Cataluña empezaba entonces a comerciar con Castilla. Con la llegada de la dinastía de los Austrias, Cataluña volvería a acercarse un poco más a Castilla.

Hasta ahora a los territorios de la Península Ibérica se les denominaba Castilla, Aragón, Cataluña... Sin embargo sería ahora con el emperador Carlos I (V de Alemania) cuando los castellanos empezarían a referirse a España como la unión de toda Hispania. A efectos prácticos el mismo rey tenía ya la soberanía sobre Castilla y Cataluña-Aragón, la total unión de reino y principado era sólo cuestión de tiempo.

BARCELONA ES CASTELLANA

El acercamiento de Cataluña y Aragón a Castilla fue lento, siempre hubo leales opositores al centralismo del reino de Castilla, pero la lentitud con la que se fue realizando la unión no permitió una mayor oposición. Primero fue la muerte de Martín I, a la que le sucedería un castellano, Fernando de Antequera, después la unión de la Reina de Castilla, Isabel I con Fernando II de Cataluña y Aragón. Más tarde sería la herencia del imperio mediterráneo por Carlos V de Alemania y seguirían los hechos precedentes a la guerra de sucesión que ahora relataremos.

En el año 1635 Francia declararía finalmente la guerra a Castilla. El inicio de las hostilidades entre los dos territorios no era más que una rama de la Guerra de los Treinta Años. Para Cataluña no hubiese tenido más importancia de no ser porque se encontraba entre los dos reinos; debido a esto, Felipe IV pidió al Consejo de ciento de Barcelona el apoyo militar contra los enemigos franceses, algo a lo que el parlamento catalán se negó rotundamente. No obstante, las tropas Castellanas irrumpirían en Cataluña saqueando y quemando varios poblados y campos, algo que hizo enfurecer a los segadores, que se revelarían contra los soldados castellanos, asesinándolos uno por uno a golpe de hoz. Por este

Umbracle del parque de la Ciudadela, construido en 1884 para la Exposición Universal de 1888

motivo, los agricultores revelados entrarían en Barcelona el 7 de junio del 1640, el día en que se celebraba el *Corpus Christi* con una procesión por toda la ciudad. Los segadores, al ver representantes castellanos no pudieron evitar la tentación de desenfundar las hoces que llevaban en sus cintos y arremeter contra ellos. Estos sucesos pasarían a la historia como el «Corpus de Sang» (Corpus de Sangre).

Después de estos hechos quedaría la duda de por qué las autoridades catalanas no sacaron a la calle sus milicias para evitar la matanza. La respuesta es evidente, las autoridades catalanas apoyaron la rebelión de los agricultores que sería más conocida como la «guerra dels segadors», y no sólo eso, sino que además también negociarían con el cardenal Richelieu el apoyo del Principado Catalán al rey de Francia, Luís XIII. Pocos días después de firmar la alianza, el combinado de catalanes y franceses liberaría el Castillo de Montjuich, que utilizaban los castellanos como base para el control de Barcelona.

En 1641, Pau Claris formalizó el traspaso de la soberanía catalana a Luís XIII de Francia, algo que irritaría profundamente a España. Pero la guerra no saldría como pensaban los franceses, Barcelona cayó definitivamente en abril de 1652 en pleno año de peste agravada por las precarias condiciones de higiene debido al asedio castellano que sufrían desde hacía más de un año. Esta derrota sería el precedente

de lo que iba a suceder medio siglo más tarde. Barcelona derrotada, aceptó las condiciones de Felipe IV en las que permitía mantener sus instituciones políticas a cambio de reconocer la soberanía de los españoles sobre el Principado. Como represalias, Castilla mantuvo una guarnición en el castillo de Montjuich y tomó el control sobre las Atarazanas de Barcelona.

En 1665, fecha en la que accedería al trono de Castilla Carlos II, empezaría el principio del fin de la historia de una Cataluña independiente. Carlos II sería conde de Barcelona, aunque siempre dio muestras de desprecio a los catalanes al no convocar jamás las cortes ni jurar las constituciones catalanas. El conde de Barcelona ni siquiera pisó el territorio catalán. Al ver que Carlos II moriría sin descendencia con los problemas de sucesión al trono que ello conllevaría, los franceses empezaron a ocupar parte de Cataluña. Así, la unión entre Castilla y Francia se formalizaría con la muerte de Carlos II. La alianza apoyaba la sucesión al trono de Felipe de Anjou (Borbón), mientras los catalanes eran partidarios de la continuación de la dinastía por Carlos de Austria, sabedores de que con la llegada de los Borbones a España, Cataluña perdería ya toda identidad. Luís XIV de Francia sería quien propusiese la candidatura de su nieto Felipe de Anjou al reino Español. Con esto pretendía liberarse de la casa de Austria que le rodeaba por un lado con España y por el otro con la misma Austria. Por este motivo los catalanes se prepararon para la guerra de sucesión aliándose con Inglaterra, Austria, Holanda, Portugal... aunque desgraciadamente la traición de la mayoría de ellos dejaría a Cataluña sola ante la alianza hispano-francesa. Barcelona sufriría hasta cinco asedios. El primero de ellos en el 1697 y hasta 1714, el conocido 11 de septiembre de 1714. Día en que Cataluña celebra su festividad nacional coincidiendo con la estrepitosa derrota frente a las tropas castellanas.

Aquel 11 de septiembre, de madrugada llovía, no sólo agua, también caían proyectiles lanzados por la artillería

española. Es cierto que hacía un mes que la artillería no cesaba de bombardear Barcelona intentando desmoralizar así a las tropas y causar las máximas bajas posibles, pero esta vez el bombardeo era peor si cabe. Era el día escogido para la entrada a Barcelona. Los españoles, con el duque de Berwick a la cabeza, y los barceloneses liderados por el general Villarroel y el consejero Rafael Casanova. Las fuerzas castellanas penetraron por siete brechas abiertas en las murallas, donde toparon directamente con una gran cantidad de trincheras y barricadas dispuestas para la defensa de la Ciudad Condal. La lucha fue encarnizada. En tan sólo diez horas los españoles habían sufrido unas 6.000 bajas y los catalanes 3.900. Villarroel, como buen profesional militar, al observar que pese a entablar un buen combate e impedir el avance de las tropas borbónicas, la victoria era imposible debido a la falta de efectivos militares, decidió por cuenta propia empezar con la capitulación. El día 13 se dieron por finalizadas las negociaciones y Cataluña pasaba a ser de soberanía castellana. Como muestra de poder los españoles mantuvieron una cabeza colgada durante doce años dentro de una jaula en el Portal del Mar. La cabeza pertenecía al militar de quien se esperaban los refuerzos para la resistencia, el general Moragues. Con la caída de Barcelona, Cataluña perdería entonces gran parte de las conquistas realizadas antaño; Menorca fue donada a Inglaterra por el Tratado de Utrecht, Sicilia entregada al duque de Saboya, Nápoles y Cerdeña al reino Austriaco...

Abolida la «Generalitat» y el Consejo de Ciento, con el catalán prohibido en beneficio del castellano y el veto a negociar directamente con el nuevo mundo, Cataluña y Barcelona se verían inmersas en unos años de decadencia. Pero tal y como Barcelona nos tiene acostumbrados volvió a ejercer de pulmón de Cataluña estableciendo una gran cantidad de pequeñas y grandes fábricas, en su mayoría textiles. En 1778, en tiempos de Carlos III, se le levantó la prohibición a Cataluña de comerciar con los territorios del Caribe. Fue entonces cuando

Cataluña, en especial en Barcelona, donde verían todavía más acrecentada su industria, con el consiguiente aumento de población que alcanzaría los 113.000 habitantes.

Con Carlos IV en la corona de Castilla, Barcelona y Cataluña vivirían por dos veces la entrada de las fuerzas francesas. En 1793 Luís XVI de Francia sería ejecutado por los revolucionarios franceses. España decidió intervenir en la revolución francesa y demandó la ayuda de Inglaterra para combatir a los «liberales». Por Cataluña se respirarían aires de indecisión y de división, mientras los campesinos católicos estaban contra la invasión francesa, algunos ilustrados veían la ocupación como una oportunidad para propagar el entusiasmo revolucionario a los catalanes. Con todo, la realidad sería bien distinta, ya que la invasión no sólo se produjo en Cataluña, sino también en algunos lugares del norte. Así, las fuerzas españolas, temerosas de que los ideales liberales se extendiesen por los lugares ocupados, pusieron cartas en el asunto y expulsaron a los franceses en 1795.

Desgraciadamente la Paz de Basilea, como le llamarían al tratado firmado en 1795 donde se entendía que cesaban las hostilidades entre franceses y españoles, conocidas en Cataluña como la «Gran Guerra», no duraría demasiado, ya que en el año 1808 Napoleón invadiría España y Portugal nombrando a su hermano José Bonaparte como soberano en la Península; para ello empezó con Cataluña de una forma conciliadora, en la que después de invadirla prometió a los catalanes que permitiría el uso del catalán y otorgaría un autogobierno para

Cataluña. Pese a las ofrendas, los catalanes rechazarían la propuesta ateniéndose a las consecuencias que traería la negativa unida a la recién jurada Constitución de Cádiz, en la que se observaba un mayor absolutismo español y en el que Cataluña perdería cualquier derecho. No obstante, José Bonaparte en los pocos años que ejerció en España como «Rey intruso» —como le denominaban algunos—, mostró una gran cercanía con el pueblo e intentó respetar las tradiciones de sus nuevos súbditos. Desgraciadamente siempre se vería tras la sombra de su hermano Napoleón Bonaparte y los españoles jamás lo aceptarían como rey pese a sus intentos reformistas.

El pueblo español plantó cara al invasor en una heroica lucha que se prolongaría durante casi seis años, lucha que culminaría con la entrada en España de Fernando VII «El Deseado» a quien se recibiría en Zaragoza, entre otros lugares, con grandes ovaciones y fiestas. Fernando VII negó cualquier derecho constitucional al pueblo español, rechazando así la Constitución de 1812 y proclamándose rey absoluto de España. Debido a las presiones ejercidas por los liberales, entre ellos el levantamiento de Vic, Barcelona y el más importante, el del general Riego (quien daría nombre más adelante al himno republicano, llamado himno de Riego), Fernando VII se vería obligado a firmar las Cortes de Cádiz y pronunciar las siguientes palabras; *Debemos caminar, y yo el primero, por la senda constitucional.* Fernando VII aceptaba así la Constitución dando paso al trienio liberal de España.

Sin embargo, el liberalismo no era aceptado en los países vecinos, que veían un problema en el nuevo gobierno Español, así que decidieron intervenir enviado a una Santa Alianza, conocida por «Los cien mil hijos de San Luis» que asediarían y tomarían Barcelona en 1823, momento que aprovecharía Fernando VII para anular su apoyo a las Cortes y volver a recuperar el poder absoluto de España. Nos encontramos en el esplendor de Romanticismo Español, en que el dar la vida por un ideal se hizo más popular. Por ello la monarquía española adoptó fuertes medidas represoras, que seguramente actuarían como una espada de doble filo con la que todavía sembrarían más el liberalismo en España durante el enfrentamiento entre Carlistas e Isabelinos y que culminaría en septiembre de 1868 con «La Gloriosa», momento en el que los revolucionarios españoles destronarían a Isabel II obligándola a exiliarse en Francia.

Sin dudarlo un instante el General Prim, líder de la revolución, se encargaría de buscar un candidato para ocupar la monarquía española. Finalmente optaría por Amadeo I de Savoia-Aosta, quien reinaría en España desde 1870 hasta 1873. No obstante su desconocimiento absoluto del idioma, los enfrentamientos de la tercera guerra carlista, el alzamiento en Cuba y las presiones progresistas, llevaron a Amadeo I a la abdicación. España perdía a un monarca honesto, al que se podía ver caminar por la calle sin ninguna escolta, cercano al pueblo y fiel cumplidor de la Constitución, que pese a no entenderla había jurado respetarla y así lo

hizo. A su abdicación le seguiría la proclamación de la república española. Con estas palabras recibía Castelar la república:

> «Señores: con Fernando VII murió la monarquía tradicional; con la fuga de Isabel II la monarquía parlamentaria, y con la renuncia de Amadeo, la monarquía democrática. Nadie, nadie ha acabado con ella. Ha muerto por sí misma.»

Por otro lado, el nombramiento de Figueras como Presidente de la República pudo ilusionar a una gran parte de los catalanes, al igual que el momento en que Pi i Maragall ganaría las elecciones meses más tarde. Sin embargo, la etapa republicana no duraría mucho, ya que al año siguiente, en 1874, Alfonso XII llegaría a España dispuesto a quedarse y a empezar el periodo de la restauración de la monarquía española que tantos altibajos había sufrido en el último siglo.

En cuanto al urbanismo de la Ciudad Condal hay que destacar que en 1859 Ildefons Cerdà presentaría la propuesta de *Teoría General de la Urbanización. Reforma y Ensanche de Barcelona.* El proyecto daría nombre al conocido barrio de L'Eixample (Ensanche) de Barcelona. La expansión de la ciudad por el plano de Barcelona planteada por Cerdà se basaba en el trabajo del médico Pere Felip Monlau, *Abajo las murallas,* en el que denunciaba la falta de higiene que sufría Barcelona al tener las fábricas y talleres en el mismo casco urbano. El trabajo de Monlau fue ganador de un premio en 1841 e inspirador de Cerdà para la creación de su Ensanche. Paralelamente a las construcciones de las nuevas islas de viviendas se estaban creando desde 1858 una serie de carriles para los tranvías que enlazaban gran parte del centro de Barcelona, Ramblas y Plaza Cataluña los cuales, sumados a la construcción en 1848 del primer ferrocarril español con línea Barcelona-Mataró, empezarían a constituir la red de transportes que hoy en día podemos disfrutar.

1882

BARCELONA ES UNIVERSAL

Con la caída definitiva de la República y el nuevo urbanismo creciente en la Ciudad Condal, Barcelona iniciaría otro periodo de cambio tanto de crecimiento económico e industrial, como de cambio político.

De esta manera, el anarquismo penetraría en España en 1868, con la llegada a Barcelona del italiano Giuseppe Fanelli, enviado por el gran idealista Mijail Bakunin para propagar por la Península sus ideales anarquistas. Fanelli cumpliría su cometido a la perfección con un primer viaje a Barcelona y uno posterior a Madrid donde conocería a Anselmo Lorenzo, quien seguiría sus dotes propagandísticas del anarquismo consiguiendo la unión de distintos colectivos a la Asociación Internacional de Trabajadores (AIT), más conocida quizás como la primera Internacional. Con el crecimiento de la industria en la Ciudad Condal los ideales anarquistas atraían a la clase obrera, cansada de trabajar de sol a sol por un mísero sueldo, de esta forma se lograría una rápida difusión del ideal por la clase mayoritaria, la trabajadora.

En vísperas del año 1888, en el que llegaría a Barcelona la Exposición Universal, la necesidad de mano de obra se acrecentaba, hecho que aprovecharon las poblaciones de las cercanías para trasladarse a Barcelona en busca de trabajo. En esos momentos la Ciudad Condal estaba creciendo a pasos agigantados, y la Exposición Universal del 88 era una culminación. Sería tal el aumento de clase obrera que con el

Excepte
Serveis

tiempo se irían creando barrios ocupados únicamente por el proletariado, como sería el caso del barrio de Pueblonuevo, conocido también como El Manchester catalán por su aglomeración industrial. Con la llegada de esta ola de trabajadores y la creación de esta especie de guetos, el anarquismo sería quien saldría beneficiado. Barcelona empezaría a conocer la etapa del pistolerismo, que aunque realmente no vería su inicio hasta un poco más adelante ya empezaría a formarse con los diferentes atentados anarquistas y la persecución policial que éstos sufrirían. Quizás el atentado más conocido de estos años que precedían al pistolerismo serían las bombas del Liceo. Desde una de las galerías del Gran Teatro del Liceo se lanzarían dos bombas, una de ellas explotaría provocando dos decenas de muertos y medio centenar de heridos. Por esta acción la policía ejecutaría a cuatro anarquistas, ninguno de ellos era el autor del atentado. También se haría conocido el lanzamiento de una bomba el día de *Corpus Christi* de 1896, en el que jamás se encontró el culpable de las once muertes, pero, sin embargo, sí que sirvió al Capitán General Weyler para arremeter contra la clase obrera, anarquista o no, y contra los sectores más anticlericales. Acciones como éstas serían habituales en la Barcelona que va de la Exposición Universal de 1888 hasta el inicio de la Guerra Civil Española en 1936.

Ciertamente no todo lo sucedido en Barcelona era trágico y la Exposición Universal de 1888 tuvo una gran acogida y serviría para dar a conocer Barcelona a gran parte de Europa, que quedaría impresionada por las infraestructuras de la capital Catalana. Muestra de ello serían las palabras del periodista Carles Soldevila:

> «Cuando ya los nuevos edificios aparecieron entre los andamios y el ajetreo de miles de obreros; cuando el Palacio de Bellas Artes, el de la Industria, el Arco de Triunfo, dibujaron sus siluetas bajo el cielo de Barcelona, se produjo una oleada de fe y entusiasmo.»

Tanto fue el crecimiento industrial de Barcelona que pronto inmigrarían, no sólo catalanes y españoles, sino también comerciantes ingleses, franceses, suizos... Precisamente, la historia de Barcelona debe conservar unas líneas para un ciudadano suizo, Hans Gamper, quien fundó en 1899 junto a sus colegas británicos, suizos y catalanes el *Football Club Barcelona*, equipo que luciría en su camiseta el color azul y el granate procedentes de la ciudad de Winterthur, donde había nacido Gamper. Durante los años iniciales aquel deporte importado desde Inglaterra no tendría una gran aceptación en la Ciudad Condal, pero con el paso de los años, el Fútbol Club Barcelona pasaría a ser símbolo del más puro catalanismo y afición de una gran cantidad de Barceloneses.

El alborear del siglo XX podríamos decir que no sería precisamente bueno, ya que en 1902 Barcelona se declararía en huelga general, una huelga que acabó con grandes medidas represivas. En estos años los obreros empezarían a preferir el Partido Radical de Leroux al sindicalismo creciente. Sin embargo, una agrupación sindical denominada Solidaridad Obrera, nacida como contrapartida a Solidaridad Catalana, viviría unos años de pleno crecimiento, hasta que en el año 1909 estallaría la conocida Semana Trágica de Barcelona.

Banesto

Plaza Cataluña

Los acontecimientos empezaron por el descontento de la clase trabajadora unido a la decisión tomada por Maura que ordenaba la movilización de reservistas catalanes a la guerra de Marruecos. En toda España, en especial en Barcelona, surgiría gran sentimiento antibelicista, en el que mayoritariamente los obreros se quejaban de que no fueran los propios empresarios a luchar por sus minas de hierro a Marruecos y tuviesen que ser ellos los que defendieran los intereses de otros adinerados. Estos hechos desembocarían en una huelga general en la que los empresarios cerrarían las puertas de sus empresas por miedo a que sucediera algo parecido a la huelga de 1902, donde se quemaron algunas industrias. Sin embargo, no serían las industrias las que arderían la semana del 26 de julio al 31 de julio, sino que se quemarían más de ochenta monasterios, iglesias y agrupaciones eclesiásticas. Las fuerzas del orden no podrían intervenir en la lucha debido a la magnitud del levantamiento social en el que colaboraban anarquistas, republicanos, socialistas... Los militares y la policía permanecerían acuartelados, donde recibieron gran cantidad de ataques por parte de los anarquistas que sembrarían el terror entre ellos. Los revolucionarios se encargaron de aislar Barcelona dinamitando las vías ferroviarias, logrando de esta manera retrasar la llegada de efectivos militares para restaurar el orden. Este aislamiento fue aprovechado por las autoridades para calificar la revolución en Barcelona como un hecho aislado, no apoyado por el resto de España. Finalmente los refuerzos llegarían a Barcelona y tras una fuerte resistencia en barrios como el Clot, Pueblonuevo o Horta las fuerzas nacionales acabaron con la revuelta.

B-TU
2807

Durante los diez meses que siguieron a la Semana Trágica casi dos mil personas fueron acusadas de la rebeldía, de todas ellas algunas fueron encarceladas y hasta cinco personas condenadas a muerte. Entre los ejecutados se encuentra la figura de Francisco Ferrer i Guardia, conocido por sus ideales liberales y que llega a nuestros días como el propulsor de la escuela moderna. Como escuela moderna se entendía un estilo similar al anarquista, hoy se conocen por el nombre de escuelas libres y en España se pueden contar con los dedos de una sola mano.

Los años siguientes a 1909 fueron de una gran represión sindical y una fuerte persecución del proletariado Barcelonés. Por ello, los anarquistas de la Solidaridad Obrera se reunirían en 1910 en un Congreso Nacional de Trabajadores en Barcelona. De aquel congreso nacería la Confederación Nacional del Trabajador (CNT), que acabaría siendo hasta la guerra civil el sindicato más importante de España donde superaría de largo a la central sindical más importante hasta ahora, la UGT. En Cataluña, donde el proletariado era más abundante, la CNT llegaría a ser un sindicato masivo y prácticamente la única central en la que confiara la clase obrera.

Mientras el descontento del proletariado crecía, los catalanistas recibieron con alegría la Mancomunidad catalana, que unía las cuatro provincias con sus correspondientes diputaciones. Desde el año 1907 Enric Prat de la Riba, con la

Col·laboren per fomentar
el futbol base
RESTAURA
AVUI
MARCA

creación del Instituto de Estudios Catalanes y la Biblioteca de Cataluña, luchaba por un mayor reconocimiento de Cataluña como nación. Finalmente en 1913 lograría la Mancomunidad y accedería a su presidencia al año siguiente.

Pese a lograr una mayor independencia, Cataluña continuaría teniendo los mismos problemas sociales y ahora sí que vendrían los años conocidos en la Ciudad Condal como del «Pistolerismo» que si bien hacía años que existía, con la fundación de la CNT se vería en su máximo esplendor. Barcelona viviría los asesinatos de los obreros por parte de los mercenarios contratados por la patronal y al contrario, los asesinatos perpetrados por los anarquistas contra los empresarios o contra los mismos pistoleros. El pistolerismo llegaría a ser tan descarado que incluso algunas veces los mercenarios esperarían la llegada de los obreros a la fábrica para disparar contra ellos. Estos hechos siempre gozarían del discreto apoyo de las autoridades españolas. En 1920 llegaría el punto más alto en el pistolerismo, se llegarían a contratar mercenarios extranjeros, que habían huido de la guerra mundial, para realizar atentados e inculpar a los anarquistas, de esta forma se podía ejercer una mayor represión contra el proletariado. Ese mismo año se perpetrarían infinidad de asesinatos de importantes personajes de ambos bandos, si bien con el de Eduardo Dato en Madrid, muerto a manos de tres anarquistas catalanes, empezaría el fin del pistolerismo debido a la gran persecución que realizarían las autoridades y la eliminación de los más importantes dirigentes de la CNT.

Fue en 1922, cuando llegaría a Barcelona Miguel Primo de Rivera para ocupar la capitanía General de la Ciudad Condal. Al llegar pudo observar cómo el pistolerismo de la patronal y los atentados anarquistas continuaban. Como reacción a estos hechos en 1923, declaró el estado de guerra en Barcelona, y con el apoyo del rey Alfonso XIII realizaría un golpe de estado con el que disolvería el parlamento e implantaría una dictadura militar. Primo de Rivera informó con este manifiesto a la prensa:

> «Este movimiento es de hombres: el que no sienta la masculinidad completamente caracterizada, que espere en un rincón, sin perturbar los días buenos que para la patria preparamos. Españoles: ¡viva España y viva el Rey!»

Tensiones y muertes harían que en Cataluña se viviera el golpe de estado de forma trágica al ver disuelta la Mancomunidad y volver a ser testigos de la persecución de los afiliados a la CNT, sindicato ahora ilegal. A nivel estatal desterraría a todos los partidos políticos, sin embargo, lograría la victoria en Marruecos, cuya lucha se estaba convirtiendo en eterna.

No obstante, en pleno declive de la dictadura de Primo de Rivera, Barcelona viviría en 1929 otro año de progreso, cultural, urbanístico, económico e ideológico. Llegaba a la Ciudad Condal la Exposición internacional, para la que se construiría el Palacio Nacional, el Palacio de las Artes Gráficas, el Palacio de la Agricultura, los pabellones de la Metalurgia, Comunicaciones, Transportes, Textil, Alfonso XIII y Victoria Eugenia, el Palacio Real, el Pueblo Español, el Teatro Griego, el Estadio olímpico y las fuentes y jardines de la actual Plaza España. Otras construcciones fueron demolidas inmediatamente después de acabar la Exposición Internacional, en 1930.

BARCELONA ES ANARQUISTA

La dictadura militar se desmoronó después de siete años y la caída del régimen era previsible desde hacía uno. Finalmente, Miguel Primo de Rivera presentó su dimisión el día 28 de enero del 1930. La renuncia fue aceptada por el rey Alfonso XIII y el vacío que dejaba el dictador lo ocuparía otro militar; éste sería Dámaso Berenguer, quien se encargaría de conducir a España, otra vez, hacia la monarquía constitucional. El trabajo del nuevo dictador sería sumamente difícil y terminaría por dimitir, dejando el país en manos del almirante Aznar. El militar no dudaría en convocar rápidamente elecciones para ese mismo 12 de abril de 1931.

Previsiblemente, la jornada electoral se había convertido en un autentico duelo entre monárquicos y republicanos, pero todo esto vendría de antes, en concreto desde agosto de 1930, cuando se firmaría el pacto de San Sebastián en el que se comprometían catalanistas, republicanos y socialistas a luchar en contra de la monarquía española. Los distintos partidos políticos para estas elecciones se habían unificado en un solo partido, Esquerra Republicana de Catalunya (ERC) que conseguiría 25 regidores sumado a los otros que unidos a los 10 de los demás partidos de izquierdas

configuraron el 68% de la mayoría contra un 20,7% de los votos de la Liga de Cambó.

Tras el triunfo de las izquierdas en todo el territorio español, las capitales se llenaron de banderas tricolor que hondeaban junto a las familias que, festivas, salían a la calle para celebrar el triunfo de la república española. Comprometidos, a la una en punto del mediodía los comercios empezaron a cerrar sus puertas y los trabajadores a abandonar las fábricas. Hacia las 13:30 Lluís Companys enarboló la bandera republicana en el Ayuntamiento de Barcelona, minutos más tarde Francesc Macià proclamó la República Catalana; «*Catalans, interpretant el sentiment i els anhels del poble que ens acaba de donar el seu sufragi, proclamo la República Catalana com Estat integrant de la Federació Ibèrica*». Las acciones de los dos catalanes aceleraron el proceso de proclamación de la república en Madrid y el rápido exilio de Alfonso XIII recomendado por el propio Romanones.

Himno de la República Española: **Himno de Riego**

Serenos y alegres
valientes y osados
cantemos soldados
el himno a la lid.
De nuestros acentos
el orbe se admire
y en nosotros mire
los hijos del Cid.

Soldados la patria
nos llama a la lid,
juremos por ella
vencer o morir.

El mundo vio nunca
más noble osadía,
ni vio nunca un día
más grande el valor,
que aquel que, inflamados,
nos vimos del fuego
excitar a Riego
de Patria el amor.

Soldados la patria
nos llama a la lid,
juremos por ella
vencer o morir.

La trompa guerrera
sus ecos da al viento,
horror al sediento,
ya ruge el cañón
a Marte, sañudo,
la audacia provoca
y el ingenio invoca
de nuestra nación.

Soldados la patria
nos llama a la lid,
juremos por ella
vencer o morir.

Santa Caterina

Cataluña organizaría durante los días que siguieron al 14 de abril su propio modelo de Gobierno del que ocuparía la presidencia el propio Francesc Macià, líder de ERC. Sin embargo, la República catalana no prosperaría. Después de negociar con el gobierno de la República Española se decidió otorgar a los catalanes un modelo de autogobierno, con su propio estatuto de autonomía y un órgano gubernamental, la «Generalitat de Catalunya», que presidiría Francesc Macià. De hecho, los dirigentes catalanes no esperaban que prosperase la República Catalana, todo aquello se había organizado de forma simbólica, quizás, eso sí, para conseguir algún modelo de autogobierno del que Cataluña no gozaba desde 1714 cuando fue derrotada por las tropas españolas.

La República se recibiría por los campesinos y obreros industriales con gran entusiasmo, con ella se esperaba que todos los problemas políticos y laborales acabasen de una vez por todas. El avance de la República no sería tan rápido como los trabajadores esperaban, había mucho que cambiar en un país que hacía años vivía en la más absoluta crispación con enfrentamientos entre empresarios, anarquistas, católicos, republicanos, militares... la división era exagerada y el nuevo gobierno no podía cambiar la tradición en el tiempo que todos ansiaban. El estado español sería declarado laico por los republicanos, hecho que haría enfurecer a las clases más católicas, que vivirían en constante enfrentamiento con la República. Uno de los peores momentos para el Cristianismo se viviría a principios de mayo, cuando las calles de Madrid se verían inmersas en peleas entre monárquicos y republicanos, en la que estos últimos procederían a la quema de varios conventos mientras se dirigían al Ministerio de

la Gobernación para pedir la expulsión de las Órdenes religiosas. Aquel día la República se vería afectada por estos hechos y acusada por los cristianos de la no intervención policial. Manuel Azaña se justificaría con las siguientes palabras: «Todos los conventos de Madrid no valen la vida de un Republicano».

Pese a la ilegalización de la CNT-FAI los años de dictadura, ésta supo resurgir rápidamente con la ayuda de los miles de trabajadores que la componían. El sindicato apoyaría la llegada de la República «como paso previo a la emancipación total del pueblo». Esto quiere decir que se daba por buena la llegada de la República «de momento», pero se debía seguir luchando para conseguir más derechos. Y así lo demostraron, con distintas movilizaciones y huelgas que se harían más notorias con la llegada al gobierno de José María Gil-Robles de la CEDA, declarado por sí mismo fascista. Hay que destacar en este punto que en estas elecciones democráticas en las que se impondría la CEDA serían las primeras en las que la mujer podría votar, después de la aceptación del sufragio universal por el gobierno Republicano. Así, lo primero que haría Gil-Robles al llegar al poder sería encarcelar a todo el gobierno catalán, incluido Companys, e ilegalizar la «Generalitat de Catalunya». Estos hechos revelarían a los catalanistas que otra vez unidos, con republicanos y socialistas se manifestarían por todo el territorio nacional. La CNT, por su parte, realizaría innumerables huelgas, destacando en especial la de los mineros asturianos. 30.000 fueron los presos políticos que había en las cárceles en 1935. Debido a la presión ejercida por las izquierdas, la CEDA se vería en la obligación de convocar elecciones para el 16 de febrero de 1936.

Como resultado, la victoria en las elecciones sería para la coalición de izquierdas, el Frente Popular, quien procedería a la liberación inmediata de todos los presos políticos. Tan sólo unos días después de la elección del gobierno republicano de Manuel Azaña, se podría leer un manifiesto de la CNT en el que se avisaba de un probable golpe de estado militar. No les faltaría razón, peor antes de esto, el asesinato del Teniente socialista Castillo fue represaliado por la misma guardia de asalto que asesinaría a Calvo Sotelo. Este hecho convencería a los militares conspiradores de la necesidad de la insurrección. Y así fue, tan sólo cinco días después de los dos asesinatos gran parte del ejército se alzaba contra la República, mientras diversos sectores de la guardia de asalto permanecían fieles.

Por otro lado, los sindicalistas, impacientes, pasaron sus noches en los sindicatos mientras esperaban que Lluís Companys concediera armas a los trabajadores, sin embargo éste se negó. La CNT alertaría a la población del peligro de la insurrección, hecho que enfurecería a los obreros, que, rabiosos, salieron a las calles para defender su ciudad. El sindicato se encargó de conseguir armas saqueando cuarteles o barcos del puerto, mientras una gran parte de la policía apoyaba la lucha del proletariado. Finalmente, la guarnición de

CORREOS Y TELEGRAFOS

Barcelona, la más grande que se había movilizado en España, se abalanzó contra la población, pero pronto descubrirían un sinfín de Barricadas en las calles y de francotiradores en los tejados. Los soldados se quedaron estupefactos frente a la muchedumbre, que mal armada se lanzaba contra ellos. En algún caso los trabajadores llegaron, incluso, a atacar a los militares a base de palos o puñetazos, las armas conseguidas así eran puestas a disposición de la CNT. De la Barcelona que quedó después del levantamiento el mejor para explicarlo sería George Orwell en su *Homenaje a Cataluña.*

«Yo había venido a España con la vaga idea de escribir artículos periodísticos, pero casi inmediatamente me alisté al ejército, porque en aquellos momentos y en aquella atmósfera, parecía la única cosa que se podía hacer. Los anarquistas ejercían aún, virtualmente, el control de Cataluña, y la revolución se encontraba en plena marcha (...) El aspecto de Barcelona era acaparador e impresionante. Era la primera vez que me encontraba en una ciudad donde mandaba la clase obrera. Prácticamente todos los edificios importantes habían estado ocupados por los trabajadores y aparecían decorados con banderas rojas o con la rojinegra de los anarquistas; las paredes estaban llenas de dibujos con la hoz y el martillo y de las iniciales de los partidos revolucionarios; prácticamente todas las iglesias habían sido saqueadas o quemadas.»

ATICO EN VENTA
INDUSTRIAL
BUS

Preparada, la misma CNT se encargaría de la organización y colectivización de la ciudad y de los campos, en un principio con el apoyo popular y al final enfrentada con las fuerzas y partidos comunistas. Se podría decir que Barcelona ha sido de las pocas ciudades que ha vivido o mejor dicho, probado el comunismo libertario, aunque, por desgracia, sería en periodo de guerra civil. El mítico himno de la CNT «A las Barricadas» sonaría en todas las milicias anarquistas mientras marchaban en camiones o trenes hasta el frente de Zaragoza o más tarde en la defensa del Ebro.

Barcelona caería otra vez en manos nacionales el día 26 de enero de 1939 sin prestar apenas resistencia. Con la llegada de Francisco Franco, los catalanes volverían a verse privados de todos sus derechos. La señera catalana sería ilegalizada igual que su himno, «Els Segadors» o quizás lo más importante de todo, la prohibición del catalán como idioma publico, en escuelas, publicaciones, medios de comunicación... tan sólo permitido en el ámbito doméstico, no obstante, muchas veces hablar el catalán en privado también se convertiría en una actividad de máximo riesgo.

Paseo de Gracia. Atrás se puede observar la Pedrera de Antoni Gaudí

Ciertamente, los primeros años de la dictadura franquista serían tiempos de decadencia en todo el territorio nacional, entre otras cosas, debido al desgaste causado por el conflicto bélico. Cataluña había sido destrozada tanto por la guerra como por el exilio y ahora lo iba a ser por la represión, ya no quedaban idealistas catalanes, ni políticos, ni intelectuales, ni artistas... Estos hechos sumados a la absorción de las distintas bancas catalanas por bancos españoles destrozando la estructura económica catalana y de la prohibición que interponía el franquismo a la apertura de nuevas industrias en el territorio catalán. Con esto tan sólo se pretendía potenciar la industria en las otras autonomías quitando importancia industrial a Cataluña. La disminución del progreso industrial en territorio catalán era bienvenido, como podemos comprobar en estas palabras de P. Gual Villalbí:

> «La industria de curtidos en la provincia de Barcelona, en forma que acusaba un índice del 85% y que con el sistema actual de reparto de cupos se ha conseguido que baje al 45%».

Sin embargo, estas acciones no resultarían como se esperaba ya que no aportarían beneficios industriales en las otras provincias, lo único que se conseguiría con estas medidas es evitar que Cataluña, en especial Barcelona, progresase industrialmente.

Aunque sería en la década de los 50 cuando España viviría un gran progreso industrial. Este hecho afectaría de forma determinante a Barcelona, que como consecuencia recibiría una gran oleada de inmigración a la que no se podría hacer frente de forma eficaz. Así, Barcelona empezaría a verse

FERRETERIA

rodeada de barracas en distintos barrios, como el Campo de la Bota, Montjuich, Hospitalet, Sant Andreu, Horta, Esplugues... La inmigración seguiría en toda Cataluña hasta entrados los años 70 en que el 38% de la población había nacido fuera del territorio catalán. Se calcula que desde 1950 hasta 1970 Cataluña habría recibido alrededor de 1.400.000 inmigrantes, aumentando así de forma considerable su población. Por otro lado, en Barcelona las cifras serían más sorprendentes, el 44% de la población de 1970 era inmigrante. Debido a esto la creación de guetos sería tomada positivamente por el estado que vería en ella una herramienta importante para la españolización de los territorios catalanes. Sin embargo, con el paso de los años, la inmigración no destruiría la identidad catalana ni de Barcelona sino que las enriquecería culturalmente.

J.M. Porcioles fue nombrado alcalde de Barcelona en 1957. Desde ese momento Barcelona viviría diferentes planes y proyectos urbanísticos en que la ciudad se vería seriamente perjudicada por el desorden en que se situarían las industrias y el desorbitado crecimiento de las barriadas colindantes. Serían tiempos en que la especulación cobraría una gran fuerza y se olvidarían todos los principios sociales y de higiene, así como se agravaría la falta de equipamientos y servicios. Pero no todo sería negativo en la estructura urbana, se construirían grandes infraestructuras, como líneas de metro, ampliación de las que ya existían, la llegada del gas natural a la ciudad y, debido al gran aumento de automóviles, se construirían más calles asfaltadas y se crearía la sociedad SABA de aparcamientos.

Durante la década de los 60 y los 70 surgiría en Cataluña una gran movilización antifranquista. La aparición de grupos como PSUC, PCE, FOC, MSC, PSAN, ERC... harían crecer entre la población los ideales, leninistas, stalinistas, marxistas, maoístas, trotskistas... en general grupos de tendencia comunista, socialista y sobretodo catalanista. Pese a las detenciones sufridas por todos los grupos opositores al régimen, la

CATALUNYA
A
FRANCESC
MACIÀ

difusión de los ideales sería un éxito y el crecimiento, en especial el de PSUC obligarían a pensar en la caída de la dictadura y la reivindicación de un sistema democrático. Incluso la Iglesia católica catalana mantendría una posición crítica con el franquismo, sufrida por un buen número de curas que sintieron la necesidad de exiliarse.

Con todo ello, los 36 años de dictadura militar afectarían seriamente la cultura catalana, haciendo peligrar sus costumbres, tradiciones y lengua. La abolición de todos sus derechos y la política centralista de Francisco Franco conducía a Cataluña a una muerte agonizante. Pero como los antecedentes ya incitaban los catalanes volvieron a resistir la violenta envestida y no sólo eso, sino también conservar sus signos de identidad pese a la persecución catalana ejercida por el régimen.

Sería el 2 de marzo de 1974 a las 09:30 cuando Barcelona viviría un duro golpe. Salvador Puig Antich, militante del MIL sería ejecutado en una tétrica estancia de la Modelo, atado a una silla, junto a su propio ataúd, sin nadie que le acompañase en sus últimos segundos de vida, tan sólo ante la mirada morbosa de sus eternos enemigos, los militares. Salvador pudo ver, al entrar en la sala, que no iba a ser fusilado, el método escogido sería el garrote vil y el verdugo ya le esperaba. El joven de veinticinco años miró al juez, levantó el pulgar y le gritó: «¡Majo, lo has conseguido!». Cerca de dos millares de jóvenes enterados de la ejecución acudieron al cementerio de Monjuich, donde sería enterrado para protestar por la ejecución, enfrentándose directamente con la policía. La dictadura franquista estaba en sus últimos meses de vida, sin embargo seguía organizando los métodos de represión necesarios para controlar a los «peligrosos» catalanes.

LAS GOLONDRINAS
PORT I LITORAL
Las Golondrinas
LAS GOLONDRINAS
Las Golond
SORTIDA / EXIT
PORT
5
4

Finalmente, el 20 de noviembre de 1975 fallecería el General Francisco Franco y se daría por concluido un periodo que Cataluña jamás podrá olvidar pero del que siempre podrá aprender. Juan Carlos I llegaría como rey de España y juraría su cargo de Jefe de Estado ante las cortes franquistas. Arias Navarro sería nombrado Presidente del Gobierno sólo un par de meses después. Pese a la aparente conservación de un modelo de dictadura sin dictador, los catalanes volverían a sentirse ilusionados ante la posibilidad de una pronta llegada de la democracia y con ella la de la recuperación de su memoria, su lengua y sus derechos. Pero antes aguardaba un duro periodo de transición en el que Cataluña y Barcelona no cesarían jamás de movilizarse a favor de la democracia y de la recuperación de su estatuto. En Barcelona destacarían durante el año 1976 las manifestaciones del 1, 6 y 8 de febrero, en el que más de 120.000 personas abarrotarían sus calles como ciudadanos, dejando de ser «afectos o desafectos» al régimen franquista. En estas manifestaciones se empezaría a gritar la consigna de «*Llibertat, amnistía, estatut d'autonomía*» (Libertad, Amnistía, estatuto de autonomía), en la que se demandaban las libertades de asociación, sindical... la amnistía de los presos políticos del régimen y el estatuto de autonomía como derechos al autogobierno catalán.

Juan Carlos I desearía reinar en un monarquía democrática y las acciones de Arias Navarro le declaraban como un absoluto continuista del régimen, por ello,

Las míticas Golondrinas de Barcelona con el World Trade Center en segundo plano

CASADO

en julio de 1976 sería cesado por el propio Rey y nombraría como sucesor al reformista Adolfo Suárez, quien se encargaría de llevar a España la democracia. En tan sólo 9 meses el país ya acudiría a las urnas, donde ganaría el mismo Adolfo Suárez (UCD) y los catalanes verían a Josep Tarradelles, presidente de la «Generalitat de Catalunya» en el exilio, pronunciar en la plaza Sant Jaume su frase mítica «Ja sóc aquí» (Ya estoy aquí). Adolfo Suárez nombraría oficialmente como presidente de la Generalitat provisional a Tarradellas tan sólo un mes después de las movilizaciones del 11 de septiembre de 1977 en que más de un millón de catalanes se congregaron en Barcelona bajo un solo lema, el Estatuto de Autonomía.

Ronda de Dalt

BARCELONA ES OLÍMPICA

El día 6 de diciembre de 1978 los españoles deberían acudir a las urnas otra vez, en este caso se trataba de un referéndum en el que se decidiría la aprobación de la Constitución por un 87,7% de votos a favor. Por otro lado, los catalanes veían en la Constitución la posibilidad de formarse como autonomía con derecho a un estatuto propio, sin embargo carecía de privilegios para reclamar una independencia o autodeterminación. La Asamblea de Parlamentarios de Cataluña se reuniría en el Parador de Sau, situado en la localidad catalana de Vic, para elaborar un nuevo estatuto tratando de mejorar el de Núria de 1932. El proyecto denominado «Estatut de Sau» sería recortado por las cortes española, rectificando puntos que se consideraban en aquel momento demasiado independentistas. Finalmente el Estatuto se ratificaría por referéndum el 25 de octubre de 1979 en el que el «Sí» se impondría por un 88,1% de los votos.

Avenida Icária en la Villa Olímpica (1992)

MAPFRE

Por el contrario, el Estatuto de Autonomía no había conseguido recoger los derechos que reivindicaban los ciudadanos como la supresión de las diputaciones, la autodeterminación o el catalán como única lengua oficial en Cataluña. Sin embargo, después de 36 años de dictadura franquista los cambios otorgados por el estatuto y las libertades que en él se reconocían, se podían dar por positivas en aquellos años de transición.

Ese mismo año de 1979, unos meses antes de la aprobación del Estatuto de Sau, Narcís Serra, candidato del Partido Socialista en las primeras elecciones democráticas del Ayuntamiento, había logrado vencer con gran amplitud en las votaciones para la alcaldía de Barcelona. Tan sólo un año después de estas elecciones municipales, Cataluña celebraría las elecciones al Parlamento en las que se impondría el candidato de «Convergencia i Unió» Jordi Pujol, que permanecería durante más de 20 años como «President de la Generalitat». Lo mismo sucedería en Barcelona tras la dimisión de Narcís Serra en 1982 (mismo año en que Felipe González ganaría las generales) y el nombramiento de Pasqual Maragall como Alcalde de la ciudad, que mantendría el cargo hasta 1997 revalidándolo cuatro veces consecutivas.

Tanto Jordi Pujol, como presidente de la «Generalitatat de Catalunya», y, Pasqual Maragall como alcalde del Ayuntamiento de Barcelona, supieron ofrecer a los catalanes y barceloneses lo que reclamaban. En Cataluña se vivía un profundo sentimiento nacionalista que Jordi Pujol defendía declarándose como un «Nacionalista Català», contribuyendo constantemente en el autogobierno catalán, luchando por la descentralización del estado español y reclamando competencias para Cataluña. Jordi Pujol siempre recordó que durante el franquismo había sido defensor del catalanismo político, hecho que le valió la cárcel en 1960 debido a las detenciones producidas a raíz de las reivindicaciones de un grupo de jóvenes que entonaron «El cant de la Senyera» en el «Palau de la Música». Por otro lado, Pasqual Maragall se encontraría con una ciudad sin perspectivas de expansión, en muchos aspectos incluso parada y abandonada, hecho

que complicaría los mandatos del alcalde socialista que se debería dedicar durante los primeros años a subsanar todos los defectos de la Barcelona convaleciente todavía de Porcioles. Sin embargo, Maragall se encontraría con grandes aliados organizados en forma de Asociaciones de Vecinos, que presionarían al alcalde con las reformas preferentes de la ciudad. Así fue como poco a poco Barcelona empezaría a dotarse de equipamientos, a mejorar las calles, constituir espacios para las zonas verdes, todo esto caminaría de la mano junto a una fuerte política anti-especuladora. También se reorganizarían los distritos de la ciudad acercando así a los ciudadanos a la Administración.

Barcelona permanecía en una crisis en la cual era impensable mejorar sin antes arreglar la ciudad maltrecha por el «porciolisme», sin embargo Narcís Serra antes de dimitir ya había pensado en ello. El entonces Alcalde de Barcelona entendía que la única forma de hacer resurgir a Barcelona sería con acciones como las de las exposiciones de 1888 ó 1929, así que presentó la candidatura en 1981 para los Juegos Olímpicos de 1992. Pues bien, en 1987, cuando Barcelona más lo necesitaba, Joan Antoni Samaranch pronunciaría desde Lausana (Suiza) las palabras mágicas, ansiadas por todos los catalanes, «à la ville de Barcelona». Barcelona estallaba de alegría, Pasqual Maragall había encontrado en los Juegos Olímpicos el fin a sus quebraderos de cabeza y la posibilidad de renovar y relanzar Barcelona. De esta forma, se pondría al frente del COOB «Comitè Organitzador Olímpic Barcelona-92» y empezaría a buscar la financiación necesaria para las infraestructuras deportivas, equipa-

mientos y reestructuraciones. La subvención más considerable la conseguiría de marcas deportivas, televisiones y otras firmas comerciales, así como la gran aportación que realizaría el Gobierno Central y finalmente varias no tan contundentes como la efectuada por la «Generalitat de Catalunya» y algunos Ayuntamientos locales, incluido el de Barcelona. Las cifras invertidas en los Juegos Olímpicos alcanzarían el billón de las antiguas pesetas, con el que no sólo saldría beneficiada la ciudad de Barcelona sino también todas las otras subsedes olímpicas que organizarían alguna de las competiciones, como sería el caso de: Badalona, Hospitalet del Llobregat, Granollers, Sant Sadurní d'Anoia, la Seu d'Urgell, Mollet del Vallés, Terrassa, Viladecans, Banyoles, Castelldefels, Reus, El Montanyà, Sabadell y Vic.

De esta forma, en Barcelona la renovación de los equipamientos actuales y la edificación de otros nuevos marcarían la tendencia de la ciudad actual. Por ello, las construcciones más importantes no serían únicamente en el ámbito deportivo sino también en vivienda, como la construcción de la Vila Olímpica en el barrio de Pueblonuevo o de zonas lúdicas como el puerto olímpico. En el terreno deportivo destacaría la construcción de la Anilla Olímpica en la que se integraba el Estadio Olímpico, el Palau Sant Jordi, Las piscinas Picornell, y el instituto nacional de educación física. Con todas las infraestructuras construidas o

renovadas se avecinaba una gran edición de estos XXV JJ.OO., para que todo el esfuerzo fuese reconocido en el extranjero necesitarían la construcción de un nuevo punto de comunicaciones donde informar al exterior, así que el norteamericano Norman Foster se encargaría del diseño de la Torre de Comunicaciones de Collserola, uno de los centros más modernos de Europa y que ofrecería las Olimpiadas a más de 2.000 millones de hogares en todo el mundo. Barcelona sería entonces una atracción turística mundial, así que las vías de comunicación también tendrían que mejorarse para absorber la gran afluencia que se esperaba. La construcción de los cinturones o mejor dicho, las dos rondas, la de Dalt y la del Litoral permitirían rodear Barcelona sin tener que circular por la ciudad, evitando así atascos en vías como la Diagonal o la Gran Vía.

En tres ocasiones, 1924, 1936 y 1972 Barcelona había sido candidata para organizar unos Juegos Olímpicos, en todas ellas la sede sería concedida a otras ciudades, sin embargo en 1992 la suerte recaería en Barcelona y de forma especial. Barcelona 92 se convertiría en los mejores Juegos Olímpicos de la era moderna. Empezarían con una espectacular inauguración en la que se representaría la creación de Barcelona y en la que el atleta paralímpico Antonio Rebollo prendería fuego al pebetero olímpico con un certero tiro de flecha.

Comenzarían de esta forma unas importantes Olimpiadas. No sólo para Cataluña y Barcelona sino

también para España, que vería como todos sus deportistas establecerían un record en el medallero con trece oros, siete platas y dos bronces. Un total de veintidós medallas que no está nada mal si lo comparásemos con las veintiséis conseguidas en toda su trayectoria olímpica. Hay que destacar deportistas de la talla de Fermín Cacho, Conchita Martínez, Arantxa Sánchez Vicario, López Zubero… O equipos como los de Waterpolo, Fútbol o Hockey Femenino. Los sucesos externos también condicionaron el buen funcionamiento de los Juegos, los primeros que no fueron víctimas del boicot de ningún otro país. Algunos de estos acontecimientos que facilitaron el buen ambiente olímpico serían; la reunificación de Alemania, la vuelta a la competición de la Sudáfrica de Nelson Mandela, expulsada por su política de *apartheid* o la participación de algunos países de la ex Unión Soviética bajo el nombre de Equipo Unificado, el cual lograría la asombrosa cantidad de 112 medallas, 45 de ellas de Oro.

Sería el 26 de Septiembre de 1997 cuando Pasqual Maragall abandonaría su carrera como alcalde de la Ciudad Condal, dejando así una Barcelona nueva, la ciudad que para todos los que lo vivieron pasaría a la historia como la «Barcelona més que mai» (Barcelona más que nunca). Eslogan que utilizaría el ayuntamiento, no sólo para promocionar la ciudad sino también para ilusionar a sus propios habitantes. Después de estos años gloriosos para Barcelona llegaría el turno a Joan Clos como alcalde con la difícil misión de superar en calidad el mandato de Maragall.

PRINCESS

BARCELONA COSMOPOLITA

Dice un proverbio español que «tanto va el cántaro a la fuente que al final se rompe», lo que sería similar en este caso a otra frase conocida por todos «nunca segundas partes fueron buenas», y es que Barcelona prepararía desde 1997 una proposición de Maragall, conocida como el Forum de las Culturas 2004. Como idea no dejaba nada que desear, durante casi cinco meses la ciudad condal albergaría exposiciones, conferencias, conciertos, congresos... En los cuales se tratarían temas como la paz, la diversidad cultural o el desarrollo sostenible. Evidentemente tres cualidades que Barcelona conoce y promociona, a la perfección, sin necesidad de grandes eventos. Sin embargo, el motivo principal de la organización del Forum de las Culturas sería el de crear un acontecimiento similar, en cuanto a infraestructuras y repercusión mundial, a los juegos olímpicos, con la idea de promocionar otra vez a la ciudad y volver a utilizarla como escaparate para el resto del mundo. La jugada funcionaría en parte, puesto que se conseguiría dar a conocer al extranjero, Barcelona, como una gran ciudad cosmopolita, plural, ecológica y pacifica. Sin embargo no faltaría la oposición que en algunos casos culparía al evento y a sus propulsores por los grandes

RAZZMATAZZ

cambios en el entorno que vivirían barrios como el Besós o Pueblonuevo, que serían testigos de la construcción de inmensos edificios, lujosos hoteles y un gran centro comercial, algo, que aparentemente recibirían sus vecinos con frases como —por fin se acuerdan de nosotros—, pavoneándose por el gran centro comercial que les habían levantado frente a sus casas, en barrios en que este tipo de «lujos» jamás se habían visto. La polémica sobre el Forum de las culturas estaba servida, y algunos opositores a ella expresaban que el verdadero motivo por el que se apostaba por una reurbanización de la zona no era otro que el de la revalorización de terrenos que, en aquellos barrios, aún estaban muy por debajo del coste del suelo en Barcelona. De esta manera se equilibraría al alza el precio del terreno en la ciudad y por consiguiente la subida desmesurada y prohibitiva del valor de la vivienda. Parte de estas acusaciones podría tener su sentido puesto los habitantes de la ciudad condal empiezan a ver impotentes como son escupidos por la gran urbe y recogidos en las ciudades o pueblos de la periferia. Sin embargo esto no tiene porque ir relacionado con el Forum de las Culturas, que disfrutaría de una gran cantidad de visitas, aunque quizás no tantas como se esperaría en un principio.

Afortunadamente Barcelona pese a los asedios, enfermedades, plagas o malas gestiones siempre ha sabido resurgir y esta vez no será diferente. El problema de la vivienda y de la construcción especulativa no ha hecho más que agravarse en los últimos años, si bien, en los años que precedieron a las olimpiadas ya se observo un importante cambio. Por lo demás, Barcelona continúa siendo la misma sociedad plural, en la que la diversidad cultural y de razas es bienvenida. La inmigración de los años de dictadura franquista, pese a superar el 44% de la población, no tardó, en su mayoría, en adaptarse a esta gran ciudad y hoy, con las generaciones que han seguido aquella ola podemos observar como, gracias a ellos, Barcelona es todavía mejor, más diversa y más universal, dejando siempre un lugar para el catalanismo, que incluso muchos inmigrantes sienten, y es que Barcelona es una ciudad para todo el que la quiera disfrutar, en la que conviven, ahora, personas llegadas de todo el mundo. Sin duda, si tuviésemos que nombrar una capital mundial cosmopolita, de respeto a las culturas, a la paz y al progreso, esta sería evidentemente Barcelona, que quizás entienda mejor problemas como la opresión, la perdida de identidad, la discriminación... Por ello, actúa consecuente para que nadie en su perímetro vuelva a sentir algo similar a lo que ella sintió durante tantos años y en tantas ocasiones.

SANT JORDI

Palau Sant Jordi, construido con
motivo de las Olimpiadas de 1992

BIBLIOGRAFÍA

LIBROS

Història de Barcelona dirigida por Jaume Sobrequés i Callicó (Enciclopedia catalana) ocho volúmenes.

Barcelona, històra d'una ciutat por Francesc Xavier Hernández i Cardona (Llibres de l'Índex).

Historia de Barcelona en fascículos, dirigida por Antonio Franco (El Periódico, Grupo Z).

Barcelona, la historia por J. Castellar-Gassol (Edicions de 1984).

Els comptes sobirans de la Casa de Barcelona dirigida por Josep M.Sans i Travé (Colección «Som i serém», Ediciones 62)

Els Quatre Pals, l'escut dels comtes de Barcelona por Armand de Fluvía i Escorsa (Rafael Dalmau, Editor, colección «Episodis de la història»)

Els Almogàvers por Ferran Soldevila (Rafael Dalmau, Editor, colección «Episodis de la història»)

L'Expedició dels Almogàvers por Rafael Tasis (Rafael Dalmau, Editor, colección «Episodis de la història»)

La guerra de Successió i els Setges de Barcelona 1697-1714 por Josep M. Torras i Ribé (Rafael Dalmau, Editor, colección Bofarull)

Colón por Pedro Voltes (Salvat, Grandes Biografías)

Cristòfor Colom i Catalunya: Una relació indefugible por Caius Parellada i Cardellach (La llar del llibre)

Un siglo decisivo, Barcelona y Cataluña 1550-1640 por Albert García Espuche (Editorial Alianza, Historia y Geografía)

Semiòtica de L'Eixample Cerdà coordinada por Albert Serratosa (Edicions Proa, Enciclopédia catalana)

España: Siglo XIX (1834-1898) por Grupo Cronos (Editorial Anaya, colección Biblioteca básica)

Los Anarquistas españoles, los años heroicos 1868-1936 por Murray Bookchin (Numa Editorial)

El Poblenou: 150 anys d'història por el Archivo Histórico de Pueblonuevo

De les txeques de Barcelona a l'Alemanya nazi por Otilia Castellví (Quaderns Crema)

Durruti en la Revolución española por Abel Paz (Fundación Anselmo Lorenzo)

República i autonomia, la Generalitat republicana por Rafael Palomero (Barcanova)

Companys i el 6 d'octubre por Enric Jardí (Ediciones Proa)

La quinta del biberó, els anys perduts por Emma Aixalà (Ediciones Proa)

Homenatge a Catalunya por George Orwell (Destino)

Catalunya durant el franquisme por Carme Molinero y Pere Ysàs (Emúries)

Compte enrere; La història de Salvador Puig Antich por Francesc Escribano (No ficció, Edicions 62)

Temps d'amnistía por David Ballester y Manel Risques (Edicions 62)

Memòria de la Transició a Espanya i a Catalunya por la Universitat de Barcelona

Del franquisme als Jocs Olímpics (1975-1992) por Miquel Porta (Barcanova, colección Biblioteca bàsica d'història de Catalunya)

ARTÍCULOS

La gran derrota catalana por Antoni Sella (Número 32 de la revista Sàpiens)

Barcelona entre las dos exposiciones internacionales por Luís Permanyer (Año IV Número 44 de la revista Historia y Vida)

La España de José Bonaparte por Manuel Espadas Burgos (Año XIII Número 147 de la revista Historia 16)

Objectiu: Alliberar Catalunya por Jordi Creus i Joan Morales (Número 6 de la revista Sàpiens)

Així va néixer Barcelona por Arnau Cònsul (Número 9 de la revista Sàpiens)

Els orígens de Catalunya por Cristina Masanés (Número 9 de la revista Sàpiens)

Índice